La collection
NOVELLA
est dirigée par
André Carpentier

Du même auteur

Privilèges de l'ombre, poèmes, Montréal, l'Hexagone, 1961.

Nouvelles, avec Jacques Brault et André Major, Montréal, Cahiers de l'A.G.E.U.M., 1963.

Délit contre délit, poèmes, Montréal, Presses de l'A.G.E.U.M., 1965.

Adéodat I, roman, Montréal, Éditions du Jour, 1973.

Hugo : Amour / crime / révolution, essai, Montréal, Presses de l'Université de Montréal, 1974.

L'instance critique, essais, Montréal, Leméac, 1974.

La littérature et le reste, essai, avec Gilles Marcotte, Montréal, Éditions Quinze, 1980.

L'évasion tragique, essai sur les romans d'André Langevin, Montréal, Hurtubise HMH, 1985.

La visée critique, essais, Montréal, Boréal, 1988.

Les matins nus, le vent, poèmes, Laval, Éditions Trois, 1989.

Dans les chances de l'air, poèmes, Montréal, l'Hexagone, 1990.

Particulièrement la vie change, poèmes, Saint-Lambert, Éditions du Noroît, 1990.

La croix du Nord, novella, Montréal, XYZ éditeur, 1991.

L'esprit ailleurs, nouvelles, Montréal, XYZ éditeur, 1992.

Le singulier pluriel, essais, Montréal, l'Hexagone, 1992.

La vie aux trousses, roman, Montréal, XYZ éditeur, 1993.

La Grande Langue, éloge de l'anglais, essai-fiction, Montréal, XYZ éditeur, 1993.

Delà, poèmes, Montréal, l'Hexagone, 1994.

Tableau du poème. La poésie québécoise des années quatre-vingt, Montréal, XYZ éditeur, 1994.

Fièvres blanches

La publication de cet ouvrage a été rendue possible grâce à l'aide financière du Conseil des Arts du Canada, du ministère des Communications du Canada et du ministère de la Culture du Québec.

©

XYZ éditeur
1781, rue Saint-Hubert
Montréal (Québec)
H2L 3Z1
Téléphone : 514.525.21.70
Télécopieur : 514.525.75.37

et

André Brochu

Dépôt légal : 3e trimestre 1994
Bibliothèque nationale du Canada
Bibliothèque nationale du Québec
ISBN 2-89261-114-8

Distribution en librairie :
Socadis
350, boulevard Lebeau
Ville Saint-Laurent (Québec)
H4N 1W6
Téléphone (jour) : 514.331.33.00
Téléphone (soir) : 514.331.31.97
Ligne extérieure : 1.800.361.28.47
Télécopieur : 514.745.32.82
Télex : 05-826568

Conception typographique et montage : Édiscript enr.
Illustration : Van Gogh, *L'église d'Auvers*, 1890
Maquette de la couverture : Zirval Design

ANDRÉ BROCHU

FIÈVRES
BLANCHES

XYZ
éditeur

NOVELLA

Un curé en robe avec des dessous de cocotte.

Jules RENARD

Première partie

I

In nomine Patris, et Filii...
Hé! vieux fou!
Je m'invective.
Quel curé je fais — mon Dieu! — après tant d'années. Tant d'années blanches, noires.
J'aurais pu être poète.
J'aurais pu ne pas être, comme ce journal n'était pas il y a deux minutes, avant que j'y trace ces mots, les premiers de ma vie intime *écrite*. Écrire, quelle blague! N'en ai-je pas assez de la religion à porter comme une croix? Voilà maintenant un autre sacerdoce. Mais ça ne durera pas. Au premier mot de travers, je décroche. Tant pis pour mon beau cahier, qui m'aura coûté bien près de dix dollars. Que dirait la Fabrique? Brou! Vrou! — Que je suis un vieux fou.
Et c'est vrai. Je suis un homme retranché des hommes: la part de Dieu. On ne me parle

pas comme à un homme. On voit en moi un représentant du Dieu vivant, ou du passé le plus mort. Je suis damné — socialement parlant, damné. Et peut-être bien pour vrai. Où est l'enfer? Dans ma cour, où les gamins se font des joies, dans l'ombre bénie des buissons, pas loin de mes fenêtres d'où je les épie, ou dans mon cœur catholique et pourri, hanté de si vieux démons que je n'ai plus le courage de les chasser, de me mettre à genoux, de les prier — les prier! — de s'en aller? Tous les démons sont en moi. L'enfer est en moi. Et Dieu? Il n'existe pas. Il existe seulement pour que les démons soient, tout-puissants dans mon vieux sot cœur de caca.

Ah! ah! quel curé! Heureusement, je maintiens les apparences. Je continue sur l'erre d'aller. Pour confesser une dévote, oindre un mourant, consoler une famille éprouvée, prêcher mon église déserte, on ne trouverait pas mieux. J'ai cinquante-trois ans, je suis chauve, ventru, de bon conseil et j'ai la pleine maîtrise de mes humeurs.

Ô mon cahier, tiens, toi tu les étancheras mes humeurs, en toute quiétude. Tu seras mon confident, mon confesseur. Tu me donneras l'absolution de la *raison*, puisque l'autre... Tu seras mon maître et mon Dieu, mon miroir, mon... non, pas de ces vilains mots. Si je veux que l'exutoire fasse de l'usage, comme on dit, il faut le ménager. Cahier, mon beau cahier, je ne te scandaliserai pas. Il faut que tu me gardes du côté de la parole et de la santé mentale, la santé, celle qui fait les hommes droits...

Les hommes droits.

Il y en a. J'en connais quelques-uns.

De beaux garçons dans la trentaine, bien mariés, le regard franc, le nez rectiligne, la bouche honnête. Hommes responsables. Pères de famille, avec une fillette ou deux, et un fils au moins pour la lignée.

Serge est un homme droit. Mais il est jeune encore, il a dix-huit ans.

Vieux con ! Va te coucher.

❏

Surtout, ne pas dater mes confidences. Je me sentirais obligé à une certaine régularité. Je ne veux pas revenir à ce cahier comme le cheval à son avoine, houyhnhnm !

Ah ! Je suis perdu ! La même satanée pression...

Quand j'avais vingt ans, j'étais coincé. J'ai cinquante-trois ans et je suis coincé. Depuis toujours, mon Dieu, je mène la vie d'un citron pressé. Et *qui* presse, mon Dieu, qui ? Et pourquoi ? Et jusqu'à quand ?

N'ai-je pas même le droit d'exploser ?

On retrouvera les morceaux partout, sur les vitres, sur les pelouses, jusque dans le jubé.

J'exploserai en trois ou quatre endroits à la fois, église, presbytère, sacristie, tout sera plein de moi, plein de ma boue. On mettra des années à nettoyer, à déloger tout cela qui pue.

Ouais! N'y aurait-il pas, monsieur le curé, quelque complaisance dans votre acharnement à vous dénigrer vous-même?

— Mais je ne me dénigre pas! Pas du tout! La réalité est bien pire encore!

Vieux con! Va prier!

❏

Octobre est doux comme une biche.

❏

Même avec toi, mon beau cahier, j'hésite à m'entretenir de ce qui tant m'occupe. Tant. Toujours. Car mon mal est laid, point. Et presque banal — rien n'est *vraiment* banal, qui n'affecte pas la moitié de la population. La calvitie n'est pas banale, si j'en juge par ces têtes qui s'inclinent encore devant le Dieu vivant, avec toute leur mousse!

Bref, non : je ne me résigne pas à dire, à écrire *ce que je suis*. Je me le laisse à deviner. Et que Dieu me pardonne!

On peut être fou, incroyant, apostat, unilingue. Mais pervers?

— Voilà. Je brûle…

Tu brûles, tu brûles, tu gèles, ah ! tu gèles encore plus, tu brûles de nouveau, voilà, tu brûles, voilà : L'ENFER !

L'enfer sur terre prépare fort bien à l'enfer éternel qui est, comme lui, un excès permanent de souffrance. De l'orteil aux cheveux.

II

Soyons sérieux. Je n'arrive pas à prendre
pied dans l'écriture. Je vais me donner des con-
signes. D'abord, décrire mon milieu. Il y a mon
âme, bien au centre, mais autour de mon âme,
il y a des corps, des objets, des lieux. Faire le
tour de cela, qui est autour. Bonne consigne.
Point de départ. En rond autour de moi.

Sainte-Lucie de Valences est une paroisse
moyennement moche, moyennement ouvrière,
avec des aspects passables en ce qui touche la
physique des lieux, et d'autres à dégoûter l'âme
la plus rebelle à la beauté. Il me faut convenir
que *mon* clocher est de ceux-là. Des clochers,
les architectes du Québec catholique en ont édi-
fié par milliers, dans les temps héroïques, et ils
rivalisent généralement — surtout ceux des
villes — d'agressivité dans la bêtise. Le mien
gagnerait certainement un prix, dans la caté-

gorie des laids à fendre l'âme. Quelle erreur de fonte bossue, qui plane au-dessus du portail central (autre erreur, celui-là, mais de ciment sculpté) à la façon d'un éboulement stoppé par miracle ! Le pieux architecte qui a voulu œuvrer à la gloire du Seigneur s'est surpassé dans l'hyperbole, ne ménageant ni les arcs-boutants ni les pinacles, multipliant les échauguettes, les bretèches et couronnant le tout d'un coq mirifique, posé comme un dindon. Un énorme caca, de couleur bronze foncé, cul de marmite, avec des coulissures verdâtres à attirer tous les pigeons de Valences et des environs. Dans cela bougent, tant bien que mal, un bourdon et trois cloches au tapage sévère — beaucoup plus discrets depuis un quart de siècle.

Mon église n'est pas un exemple de bon goût. Paroisse secondaire, quoi ! Dans Valences, tout va à la cathédrale, belle jeune horreur de pierre — horreur, mais non erreur. Il y a des degrés dans le grotesque.

Certes, je ne me plains pas de ma position. À la cathédrale, je serais quoi ? Certainement pas curé. Je ne suis pas de ceux sur qui Monseigneur jette un œil complaisant — et tant mieux ! Et puis je vivrais plus ou moins en communauté, dans la société de terribles zélateurs. Les plus jeunes, surtout, sont à craindre : ils croient tous avoir trouvé le moyen infaillible de ramener l'homme à Dieu. Ils accusent ma génération d'avoir, par manque de foi véritable, causé le gâchis actuel. Ils ont peut-être bien raison — les cons ! Ils ont raison de penser que la foi chancelle, chez tous ceux qui ont eu à prêcher tant de sottises et qui, maintenant, ne voient guère de différence entre les idées tombées en discrédit et celles qui restent. Mais ils ont tort de croire que l'Église renaîtra, semblable à ce qu'elle était quand le chapelet ligotait tous les cœurs. La foi des curés n'y peut rien. Un peu de cynisme, même, ne messied pas au pasteur d'âmes (pasteur d'âmes !).

En tout cas, ma paroisse me suffit. Mieux, je l'aime, oui, je l'aime pour sa laideur, sa médiocrité dignes de moi et de mes tourments. J'ai un sale intérieur à cacher, la lumière fuligineuse de sainte Lucie me drape et m'absout.

Quand cette vierge romaine fut condamnée, elle devint, par la grâce de Dieu, si pesante que mille hommes puis mille bœufs ne réussirent pas à la faire bouger. On décida donc de la brûler sur place, mais elle ne consentit à rendre l'âme qu'après le renversement inopiné du pouvoir, qu'elle avait prophétiquement entrevu. Voilà ma sainte ; et le clocher, masse de fer cru, couleur d'orage, lui ressemble comme le tison au tison, la butée à la butée.

Le bloc au bloc.

Je rêve parfois que je suis étendu sous un énorme bloc, à la limite de l'état d'écrasement. Un kilo de plus et les os craqueraient, la suffocation serait complète, j'éclaterais comme une punaise pleine de sang. Cette immense oppression me pénètre d'un grand bonheur de corps, je me couvre de sueur, mon sale ventre s'irrite, je rayonne de mort.

Mon Dieu! Je voudrais te prier.

La misère d'être un corps!

(Qui me damnera si Dieu, comme j'en ai peur, n'existe pas?)

Voilà. Petite extase. Je reviens à ma description. Pourquoi cette description? Je ne sais pas. Je ne sais rien.

Sainte-Lucie de Valences, paroisse pauvre. Des chômeurs, des ouvriers, des assistés sociaux, beaucoup de gens âgés (ceux-là viennent à l'église quand ils ne peuvent pas aller jusqu'à la cathédrale, où la messe est meilleure), une jeunesse abrutie par la coke et l'absence totale de perspective d'avenir. Vive le Québec moche et ses jolis morpions!

J'exagère, bien entendu. Ma paroisse compte sa part de notables, dentistes, médecins, notaires, marchands, tous exploiteurs et assidus à la messe de minuit, avec leurs épouses parées de visons ou d'ocelots; un beau spectacle à présenter aux étrangers. Mais les étrangers ne viennent pas chez nous et notre élite brille pour rien. À peine éveille-t-elle quelques sentiments d'envie ou de mépris parmi la plèbe locale, née et élevée dans l'idée qu'il y aura toujours des riches et des pauvres (je l'ai prêché).

C'est la filature de coton qui fait vivre le quartier. Mais les mises à pied se multiplient et la main-d'œuvre, féminine surtout, est invitée à se tourner les pouces à la maison... On ne garde que les vieilles, habituées aux salaires de stricte subsistance. Un sou est un sou. Un sou... comme une hostie de boue, prenez, mangez, ceci est un clinquant capital, et votez bien aux prochaines élections !

Autrefois, tous ces humiliés venaient à l'église courber leur calvitie, leurs tignasses frisottées. Le joug spirituel s'ajoutait au joug séculier. Ça marchait droit, les yeux à terre. Ça vivait de petite joie en gros malheur, heureux d'assumer la continuité des générations, d'accomplir le destin de l'espèce sur la Terre. Le prêtre avait pour rôle d'éclairer leur marche patiente, d'empêcher les regards de s'égarer hors du chemin tracé.

Aujourd'hui, il n'y a plus de chemin. Il y a une grande place, qui débouche sur un gouffre. Il faut se tenir le plus loin possible du gouffre, car les mouvements de foule risquent de nous y précipiter. Plusieurs sont entraînés sur une longue distance, sans possibilité de s'arrêter, de modifier leur trajectoire, ils sont poussés jusque dans le vide qui les avale d'un coup, sans un bruit. Ils y tombent pleins d'âme, avec tous leurs vêtements. Moi, je veux mourir nu.

Seul et nu.

Enfin ! On verra.

J'ai beaucoup rêvé de *lui* cette nuit.

Lui : Serge.

Pauvre enfant ! Pauvre moi ! Lui ne fait pas pitié, mais je le plains de tout mon cœur, d'être celui par qui le mal m'arrive. Dieu aurait pu en choisir un autre, qui que ce soit, plus beau, quelque étonnant jeune homme, un ange, un Ganymède.

Lui, il est tout cela et bien plus — pour moi seul.

Je suis atterré. Je me terre.

Toute ma vie à racler cette plaie. Mais au moins, avant, depuis ma terrible adolescence, je n'aimais personne. Mon désir se satisfaisait d'images, refusait l'investissement dans la réalité de chair, de peau. Je souffrais, mais *de rien*.

Dieu, je vous aimerais si, ma vie durant, vous ne m'aviez imposé ce martyre indigne d'un homme, indigne même d'un animal. Si indigne que je n'en puis récuser la responsabilité. Un homme laid n'est pas coupable de son visage, mais un homme très laid, si ; et coupable en plus de sa naissance, de sa mère, de tout. Coupable de tout.

Je suis coupable de Serge, des atrocités que mes mains, mes lèvres commettent sur son corps en pensée, en rêve, en prières qui suffiraient à me damner. Qui me damnent déjà en cette vie, avec des joies qui claquent.

Et je n'en sortirai pas. Je n'en sortirai pas. Depuis l'âge de douze ans, je suis damné, ma vie est un supplice. Au réveil, chaque jour, la main de boue serre ma poitrine, le feu de la honte cuit mon front. «Tu es un porc, Adrien, un porc, *in nomine Patris, et Filii...*» me chante la petite voix du cœur, celle qui émane de l'enfance. Ma vie est un poème de quotidienne affliction, de rage, de larmes rentrées, de désir massacré. Un poème tout entier vomissure — fraîche, corrosive. Je suis mangé de déjections.

Eh bien! mon cher, mon beau cahier, te voici déjà souillé de mes phrases. Si je poursuis, tu ressembleras à ma longue ignominie. Je pourrais te bourrer de mes fantaisies amoureuses, coucher en travers de tes pages le corps tout palpitant qui fait mes délices. Je m'en garderai car, sur le papier, l'obscène perd son caractère sacré, lié au fait d'être caché. Montrez le Dieu, il devient quidam.

L'obscène : c'est Serge, à la puissance Dieu.

Le pauvre enfant! S'il se doutait des sentiments que je lui porte, il me fuirait avec horreur. Ils finiront bien par transparaître, puisque je suis le jouet de puissances qui me dépassent et qui s'amusent à faire chaque jour un peu plus mon malheur.

❏

Mon Dieu
faites de moi
ce que je suis
dans l'âme   avant la vie

avant toutes les choses commises
actions passions gestes regards
et même les prières
et même les joies
tout est contaminé
tout est l'absence de la grâce de vous
sur moi comme une aurore
tout est la nuit de votre silence
et je cuis dans la peau de mon désir
épais comme l'échine noire
velu   étoile de crin
ah   cette ordure   âme faite chair
l'âme dressée dans
le linge mou   violette imposture
que je hais que je hais l'âme ainsi déguisée
au centre de l'ange hébété
sursaut de sang dans la pâte du visible
horreur horreur haïssable que j'aime
plus que vous mon Dieu car vous m'avez
damné
vous qui avez créé cet enfant
cet homme si parfait de corps et de cœur
si doux dans son regard de seigneur sous ses
cheveux
pluie noire
je l'imagine dans sa seule peau vêtu de son
rouge sourire
je vois chaque tendre éminence chaque acci-
dent de son apparence
selon les postures et les abandons que lui
inspire la minute

tel que vous le créez à chaque instant de
votre volonté
ô Dieu
ô maître ô supplice
ô plaie de pain et de vin
ô vous que j'aime   en qui précisément je
souffre
de toute ma chair tendue et liée
Serge Serge sans nom dans mon péché
Serge de plaisir brut qui me communie
dans les espèces de sa beauté de rêve
lui au nombril escarboucle et quasar par le
brun secret de la nuit frénétique
lui aux grâces d'améthyste et de zircon
déboulant du torse
lui au sexe trois fois grand et trois fois saint
qui me donne à boire et manger la subs-
tance neigeuse de l'ensemble
l'hostie ruisselante de tout
la pluie de chair en pleine face
qui me damne
et que j'essuie comme Véronique
en vénérant chaque crachat
chaque souillure   le suint

Horreur horreur tout cela est mensonge
seul mon péché existe   la faute est à com-
mettre
et vous me voyez Dieu me traîner dans la
boue
moins perdu de remords que de regrets

et moins de mon indignité que de ma
lâcheté
par votre grâce peut-être et par l'impossibi-
lité où je suis
de franchir le seuil
et d'entraîner cet enfant dans l'ombre irré-
parable.

❏

Serais-je poète !
C'est fou, le vertige des mots. On est emporté, vraiment. Tout coule de soi comme une
pluie, et l'âme suit. L'âme, l'âme. Je n'ai que ce
mot à la plume.
Pourtant, je pense sperme.
Non, non, je me noircis. Le fond de mon
cœur est serein. C'est comme un jour gris et
doux, un peu frais, où l'air est un cristal qui
casse. Le fond de mon cœur est bon.
S'il n'y avait cette terrible, interminable
obsession qui me tue, je serais un homme bon.
Et peut-être un poète, un vrai, avec des sentiments avouables.
Ma sale vie m'aura privé de tout, même de
la possibilité d'*avouer*.

III

Ai revu, ce matin, cette pauvre fille. Chère Héloïse! Comment lui faire comprendre?

Elle était presque belle, ma foi, dans sa véhémence. Une tendre colère: voilà. Avec son air de vierge un peu martyre... Elle me fait penser à Véronique, le voile toujours tendu pour vous imprimer la face. (Quelle horreur! Mes métaphores sentent le soufre.)

Je n'ai pas d'animosité contre elle, loin de là. Elle m'a toujours semblé intelligente, malgré son dévouement. Et si j'étais un homme, je ne serais pas rebelle à sa grâce, car elle en a, et sans les artifices du maquillage.

Mais enfin, Dieu merci, je ne risque pas de succomber à la tentation. Le sait-elle?

Si oui, pourquoi me poursuit-elle?

Bien sûr, elle a le droit de m'en vouloir. Depuis mon arrivée ici, elle avait la main haute sur tout le service musical, touchait les orgues, dirigeait la petite chorale, s'employait des poings et des pieds à célébrer la gloire du Seigneur. Mais en 1980, les fidèles demandent autre chose. Moi-même, qui n'ai jamais été porté vers la musique populaire, qui ai dénoncé en chaire le rock and roll comme une musique de Satan (eh oui !), je me félicite maintenant de cette petite révolution qui a substitué aux sonorités fatiguées de l'orgue le rythme entraînant, dynamique de la guitare électrique (comment dit-on ? la *basse* ? la *base* ?) et de la batterie. Je suis sûr que la majorité des paroissiens me suit.

Que disait-elle ? Ah ! oui. Elle parlait de «tapage de casseroles». Sa colère ne la sert guère, en fait d'images. Elle est vraiment enlisée dans les lieux communs, aussi éculés que son orgue. Là où elle m'a semblé plus lucide, c'est quand elle m'a attaqué sur le choix de mon chanteur vedette. Son petit œil noir scintillait de douleur.

Elle se doute peut-être que Serge Lemire représente beaucoup pour moi.

Mais enfin, je ne suis pas le seul à louer son talent ; et puisqu'il accepte de le mettre au service de l'Église, l'Église ne s'en privera pas.

Cette chère Héloïse s'est vraiment élevée jusqu'à l'éloquence pour défendre la tradition musicale qu'elle a, pendant tant d'années, illustrée avec un talent aussi terne que son visage. Elle m'a dit à peu près ceci : «Le concile n'a pas remplacé l'orgue par la guitare électrique, que je sache! Et les chants qu'on a composés il y a vingt ans, même s'ils n'ont pas la beauté des chants grégoriens, ont tout de même plus de valeur que ces rengaines, ces hoquets ridicules sur lesquels on plaque des paroles qui n'ont aucun rapport avec eux. Ah! monsieur le curé, vous pensez attirer des jeunes dans votre église, en leur servant les mêmes aberrations dont ils se repaissent jour et nuit — je dis bien : et nuit, monsieur le curé! —, loin du Seigneur et loin de sa maison bénie. Mais c'est une erreur complète, sauf votre respect. Vous vous méprenez du tout au tout. Les jeunes viendront chercher ici ce qu'ils cherchent en vain ailleurs, dans leurs foyers bouleversés et divisés, emplis des tintamarres du monde. Ils viendront à l'église s'ils sont sûrs d'y trouver la paix, la grâce, une atmosphère propice au recueillement et à l'épanouissement de leur âme», etc. Cela sonnait si fort comme un sermon, dans le petit parloir vitré, que j'ai eu quelques secondes de confusion. Eh quoi! elle — une femme! n'importe qui! — pouvait me voler impunément mon rôle et me chapitrer sur le beau sujet des devoirs de ma charge!

Mais quand elle s'en est prise à Serge, la colère m'a secoué. Elle m'a raconté je ne sais quoi sur ses rendez-vous dans le parc, avec une jeune fille du quartier ouest, Simone Courtois, je pense. La fille de l'ancien éboueur?

Je lui ai vite rentré ses ragots dans la gorge. Un peu de décence, mademoiselle! Elle est

repartie en colère et humiliée, je l'espère, suffi-
samment pour lui faire passer le goût de me
rendre visite. J'en ai assez de ses pleurnicheries
de sainte nitouche. Déjà que le dernier quarte-
ron de dames de sainte Anne m'en abreuve en
surabondance !

❏

Cette année, novembre est un mois de paix.
Les feuilles sont tombées et une nappe de
lumière chaude, doucement tamisée, continue
d'envelopper les choses, comme si l'hiver ne
devait jamais venir. Le bruit laid et touchant de
quelque scie ronde pénètre par ma fenêtre
ouverte. C'est un temps de village. Les dragons
sont endormis.
Satan... il existe peut-être. Mais pour l'instant, il doit voyager à l'étranger. Pas vu le bout
de sa queue fléchée depuis deux semaines. Je
me sens presque pur, presque normal. Un
homme sans péché.

❏

Hier, curieuse visite. Monsieur Y., curé d'une
paroisse voisine, s'est amené au début de
l'après-midi, sans préavis. «Je passais, m'a-t-il
dit, et j'ai eu l'idée d'arrêter vous saluer.» Nous
nous connaissons peu ; au séminaire, il y avait
trois ou quatre années entre nous. J'ai vite

compris que sa visite avait un but autre que simplement amical.

C'est qu'il est tourmenté, le pauvre. Autant que moi, ou même davantage, à ce qu'il m'a semblé. Il m'a parlé par demi-phrases, suffoqué de gêne, de honte. « Pourquoi ne vous en ouvrez-vous pas à votre confesseur ? » lui ai-je demandé. « C'est un saint homme, il n'y comprendrait rien. »

Monsieur Y. est attiré, sexuellement, par les petites filles. Sa passion est telle qu'il craint, à tout moment, de se trahir. Il lui arrive parfois de se déguiser, le soir, pour aller rôder dans le parc d'une localité assez populeuse des environs. Un policier l'a même déjà interpelé — puis, en voyant ses papiers, s'est excusé, avec un drôle d'air.

« Mais vous n'espérez tout de même pas trouver des petites filles dans le parc, la nuit tombée ?

— Il y en a... L'été, bien sûr. Des petites des quartiers pauvres. Elles se tiennent par groupes de trois ou quatre. Mais je n'ai pas osé les aborder. Il y a des garçons, à peine plus âgés qu'elles, qui leur font la cour... si on peut dire. Ils ne se gênent pas, eux, pour satisfaire leur désir. »

Puis la conversation a pris un caractère plus général. Il m'a dit que, à son avis, la plupart des prêtres sont soumis à des tentations au-dessus de leurs forces et que le grand drame, c'est le silence et l'isolement contre lesquels chacun doit se débattre ; que le seul réconfort peut venir de la transgression du secret qui pèse sur tout cela. Il semblait me demander je ne sais quelle complicité. Aurais-je pu m'ouvrir à lui de mon problème ? Mettre mon beau Serge en communauté d'interdit avec ses nymphettes ? De quoi mourir de rire ! D'ailleurs, pourquoi est-il venu me raconter ça à moi ? Ai-je si mauvaise réputation ? A-t-il eu vent de mes ignobles penchants (*ignobles* est de trop) ? Sommes-nous faits de la même farine ?

Lui, il est au bord de l'acte. Il flirte avec le désastre. Moi, je puis espérer encore quelques mois, quelques années peut-être de résistance. Avec de la chance, je tiendrai le coup jusqu'à ce que me passe le goût — le besoin physiologique — d'aimer. Pendant plus de trente ans, ma vie sexuelle s'est limitée à des assouvissements imaginaires, sans autre support dans le réel que telle suggestive représentation de martyr ou du Crucifié...

Je n'ai rien laissé transparaître de mes pensées. Que ferais-je d'un complice crapuleux ? Il ne pourrait que m'entraîner avec lui dans sa chute. De toute façon, l'enfer est une entreprise strictement individuelle. Y roule qui veut ! Je ne peux rien pour lui, il ne peut rien pour moi. Qu'il brûle avec ses nymphettes — quel vice dégoûtant ! Son rêve est plein de vulves crues, la crasse et la bave y scintillent. Le mien...

Que l'homme est une bête abjecte !

❏

Il y a deux ans, un beau jour de septembre, Dieu lui-même s'est présenté à mon bureau pour demander un extrait de naissance. Dieu s'appelait Serge Lemire, il avait seize ans, j'eus le coup de foudre. Je remplis la formule en tremblant.

— Tu es le fils de feu Elzéar Lemire, le courtier ?

— Oui, monsieur le curé, répondit-il avec une charmante timidité.

— J'ai bien connu ton père. Il était dans la ligue du Sacré-Cœur. Un homme très simple, courtois. Et je connais ta mère aussi. Elle est très active dans les œuvres. Mais toi ? Il me semble qu'on ne te voit pas souvent ?

Il a rougi, et bredouillé :

— À la suite du décès de mon père, j'ai été pensionnaire pendant quelques années. Mais maintenant, je suis inscrit au cégep de Valences.

Nous avons bavardé quelques moments, et je lui ai arraché la promesse de venir me rencontrer, pour faire plus ample connaissance et discuter de sa vie spirituelle. Il m'a semblé surpris et un peu ennuyé, mais — voilà un vrai miracle : merci, Satan ! — il est venu.

C'est sa mère, sans doute, qui l'y a poussé. Honorine Lemire, une vraie femme d'église ! Opulente, doucereuse, impérieuse, ennoblie par le veuvage, elle est l'exemple même du sépulcre

blanchi. Car j'imagine sa grosse carcasse tra-
vaillée de désirs brutaux, qu'elle sublime en se
prosternant au pied des autels. Ses confessions,
en tout cas, m'ont toujours paru suspectes.
D'ailleurs, depuis cette belle invention de l'absolution collective, je ne la vois plus guère au con-
fessionnal. Le tête-à-tête avec Dieu lui convient
mieux. Point n'est besoin, à Lui, de rien dissi-
muler.

Quoi qu'il en soit, la bonne dame est une de
nos « patronnesses », piété lourde, ciel garanti.
Si Serge lui a raconté sa visite, elle l'a sûrement
poussé vers moi, de toute sa dévotion allumée.

Quel contraste entre elle, pratique, san-
guine, née pour commander, et lui, fin de corps
et d'esprit, artiste, très beau... Dès notre première rencontre, il m'a exposé son problème.
Sa mère le destinait à des études avancées en
administration, de sorte qu'il pût gérer la fortune assez rondelette laissée par son père et la
faire fructifier. Lui n'avait qu'une passion : la
guitare — électrique, bien sûr — dont il jouait
déjà, m'a-t-il confié, avec une maîtrise passable.
Il voulait s'associer avec d'autres jeunes de
Valences et former un groupe rock. Je lui dis,
assez paternaliste : c'est bien joli, la musique
rock, mais on ne fonde pas une vie là-dessus.
Pour un groupe qui réussit à s'imposer — et
encore, je parle de groupes qui se produisent
dans des pays comme l'Angleterre ou les États-
Unis, où il y a tout un public, tout un marché —,

il y en a mille qui échouent. Il m'écoutait avec politesse, mais je sentais bien que sa conviction restait entière. Le réel, à cet âge, est un insecte importun. On a tôt fait de le chasser.

Il comptait peut-être, sans se l'avouer, sur la part d'héritage qu'il devait toucher à sa majorité. Mais le testament stipulait l'obligation d'obtenir un diplôme universitaire.

En fait, il n'était pas absolument réfractaire aux études, même austères, étant pourvu d'une intelligence déliée. Les mathématiques ne présentaient pas pour lui de difficultés particulières. Seulement, il en était à l'exploration de son talent musical, et traduisait sans doute en frénésie sonore les ardentes pulsions de son adolescence. Je l'imaginais, dans la solitude du soussol, la guitare appuyée sur sa poitrine, ses doigts picorant et griffant, les cheveux comme une pluie de suie masquant à moitié ses yeux clairs, la bouche murmurant des mots anglais qu'il ne comprenait pas toujours.

La veuve, qui adorait son fils, se désolait du mauvais emploi de ses loisirs, mais comme ses résultats scolaires restaient tout à fait convenables, elle le laissait faire à sa guise. Après tout, devait-elle se dire, ça lui passera ; et puis, mieux vaut gratter la guitare que fumer du «pot» ou courir les filles. D'ailleurs, elle tirait une certaine fierté des dispositions musicales de Serge. Ellemême avait fait des études de piano quand elle était au couvent, et en avait gardé quelque chose. À l'occasion, elle s'asseyait devant son Heintzmann et déchiffrait une page de Schubert ou de Beethoven. C'est elle qui avait enseigné à son fils les premiers rudiments de la musique.

— Maman prétend que, dans sa famille, on est tous doués pour les arts.

Il me disait cela avec un fin sourire, qui exprimait à la fois son affection filiale et une ironie mesurée pour une femme dont les travers ne lui échappaient pas.

Il m'a fallu près de deux ans avant que me vienne l'idée de faire appel à Serge pour la musique des offices. L'an dernier, déjà, il avait fondé un trio à peu près stable et obtenu quelques succès dans les établissements du quartier, et même du centre-ville. Depuis notre première rencontre, quand il était venu demander un extrait de naissance, son image me hantait, comme s'il venait matérialiser le long désir de ma vie, si brutalement humilié au moment de mon adolescence. Il venait me voir, tous les deux ou trois mois, sans doute pour complaire à sa mère, mais je redoutais le moment où la vie nous séparerait. Il me fallait trouver un moyen de l'attacher à moi, et j'envisageai finalement de lui confier le service musical. Cela supposait la mise en disponibilité, au moins partielle, de mademoiselle Héloïse qui, depuis quinze ans, dirigeait toutes les activités chorales et touchait l'orgue avec une monotone compétence.

Les marguilliers, à qui je fis miroiter l'espoir d'une hausse de l'assistance à la messe si la

musique était plus conforme au goût du jour, et
qui n'avaient pas de sympathie spéciale pour
l'organiste célibataire, si confite dans sa dévote
routine, me donnèrent le feu vert. Serge, que
j'avais pressenti déjà, se mit résolument à
l'œuvre et adapta sa rythmique très expressive à
quelques psaumes que je lui indiquai. Le résultat
fut plus que passable, et la satisfaction des fidèles dépassa le mécontentement. Les personnes
âgées, surtout, trouvèrent une fois de plus qu'on
leur changeait leur religion, et me rappelèrent
d'anciens sermons où je condamnais le rock
and roll et autres musiques de Satan. À travers
ces arguments, je crus discerner une brigue or-
chestrée par mademoiselle Héloïse, qui m'avait
servi les mêmes objections et qui devait me les
répéter bien souvent encore. Je dus, en chaire,
faire une mise au point et affirmer qu'aucune
expression artistique n'est en soi peccamineuse
(un barbarisme théologique élève toujours la
réflexion) ; qu'il y a péché si cette expression
reste confinée dans des lieux où elle sert les fins
du Prince de ce monde, mais que son adoption
par l'Église la sanctifie, etc.

Bien sûr, aux offices des morts et aux maria-
ges, mademoiselle Héloïse retrouve son utilité.
Elle aurait pu me créer de graves ennuis en
m'obligeant à lui chercher un remplaçant. Je
dois en toute justice reconnaître qu'elle n'est
pas vindicative. Elle n'en organise pas moins
une sourde résistance au régime actuel, et le

moindre faux pas pourrait nous être fort dommageable.

❏

Je relis les dernières pages. Quelle misère !

Cahier, mon beau cahier, dis-moi : suis-je fou ? Je lirais ces lignes sous la plume d'un autre et je frémirais devant tant de mauvaise foi et de naïveté.

Le fait est que je voudrais Serge dans mon lit, non devant la nef ; que je suis malade, et sacrilège, et possédé. Je crois en Dieu, qui me damne. Je crois en Serge, triste passion. Je crois en tout ce qui me perd. Je me perds. Beau cahier, je nous perds.

❏

Il y a des jours où je voudrais tout recommencer à zéro. Je voudrais avoir l'esprit pur, absolument pur, libre de toute attache avec mon corps bourrelé de désirs — non, je ne voudrais pas même que ces désirs fussent normaux, dirigés vers l'autre sexe comme il se doit. Je me voudrais ange, simplement, platement — bêtement. Je voudrais me perdre en Dieu, ne plus éprouver ni doute, ni colère, ni remords. Être un simple élan vers ce qui sanctifie. Oui, saint, trois fois saint, touché au front du bout de la main du Seigneur, illuminé de sa paix... J'ai eu de tels moments autrefois, au séminaire puis dans ma petite vie de vicaire dont je n'aurais jamais dû sortir. J'étais alors l'exécuteur des pieuses œuvres de curés raisonnablement bornés, raisonnablement saints. Que faisaient-ils de leur chair, aux heures terribles ? Ils la jetaient sans doute à Dieu, comme une défroque, pour qu'Il la foule de ses pieds. Non, ils devaient faire exactement comme moi, le cynisme en moins. Car ils étaient sans doute, eux aussi, labourés d'appétits horribles, de ceux que toute la société réprouve. Ils devaient gémir, se couvrir de crin, se vouer aux diables les plus immondes, consommer en secret d'irréparables fautes. Quand ils se relevaient, leurs murs étaient noircis de la fumée des sacrifices dont la flamme s'élance vers le bas. Sous les bûchers, qui sont des prémonitions de l'enfer (n'est-ce pas ?), il y a de grands diables nus, assis en tailleur, dont le sexe recueille la chaleur et la lumière (ces deux composantes essentielles du feu) pour mieux les irradier ensuite dans les anus coupables... Passons !

Il y a des jours où je voudrais être pur comme un agneau, pas un vibrant agneau de chair et de laine, mais un agneau qui tourne, bien embroché, grillé, purifié.

❏

Première neige.
Il y a ce qui tombe et il y a ce qui monte.

La neige tombe. Moi aussi. La neige descend en lents flocons mous, pétales abstraits que le sol absorbe à mesure. Il faudra plusieurs jours avant que l'hiver se durcisse, devienne concret. Il y aura comme une saturation de froid, et les cristaux alors se conserveront, s'accumuleront, recouvriront le sol avec une morne patience. Couche égale de glace, partout. La ville sera transformée, livrée aux forces du froid qui sont antirayonnantes, antigerminantes. Plus d'élan. L'hiver.

J'aimerais entrer en hiver.

J'aimerais m'accroupir, me serrer dans mes bras, rester longtemps immobile à sentir l'air gonfler mes poumons tout contre mes genoux, puis me quitter, m'envahir encore, présence en moi du monde indifférent. L'air me lave de mes désirs, m'inocule le gris des choses. Quand je respire à fond, je ne rage plus.

Petit, je restais des heures à observer le jeu profus de la poussière, dans une pièce traversée par les rayons du soleil. Je n'étais pas encore voué au mal, encore moins au sacerdoce. J'étais un enfant vide, en attente de destin, mais le monde pour moi se réduisait presque à ce scintillement discret qu'effaçait la pénombre, que seule une vive lumière allumait dans l'espace. Pour peu que je fusse attentif, l'air devenait presque compact tant l'occupaient de toute part ces infimes particules charriées par d'invisibles flux, des remous, des turbulences. J'avais l'impression de respirer un vivarium, de manger un air plein de sel, de formes vivantes, d'astres subtils qui faisaient de moi un monde complet.

Si j'avais devant moi cet enfant que j'étais, que ferais-je?

a) le rouer de coups

b) l'embrasser chastement

c) le violer

d) le chasser

e) le bénir

f) pleurer sur lui et avec lui, en comptant ses larmes

g) rien

Rien. Je ne ferais rien, car cet enfant ne faisait rien, il buvait la vie et la vie le noyait.

IV

De la grande visite, aujourd'hui. Veuve Honorine Lemire en personne — et en parfum. Le parloir en est encore tout imprégné.

Elle s'inquiète beaucoup des fréquentations de Serge. Il lui serait venu aux oreilles que son fils rencontre régulièrement la fille aînée d'Ernest Courtois. Et de Démérise, la femme de ménage d'Honorine ! Simone doit bien avoir dix-sept ou dix-huit ans. Un beau brin de fille, comme on dit.

— Il ne vous en a pas parlé ? m'a-t-elle demandé, le regard chargé d'insistance.

— Non. Sa vie privée ne me regarde pas…

Malgré l'espèce de sourire dont je l'ai enveloppée, la phrase brutale a allumé un point de colère dans son gros œil. Elle a fait semblant de rien.

— Mais il a tant d'admiration, et tant d'amitié pour vous ! Il vous regarde comme un vrai père. Depuis qu'il a perdu le sien…

Cette confidence m'a choqué. Jamais je n'ai eu l'impression que Serge m'accorde plus d'importance que la politesse, le respect dû à ma position ne l'exigent. Moi, son père? La bonne dame doit prendre ses désirs pour des réalités. Elle m'a déjà confié un de ses rêves : son fils curé, et puis elle, prenant soin de son ménage. Comme dans un mauvais roman d'autrefois. En tout cas, elle le veut tout pour elle.

Mais alors, cette Simone! Si la rumeur est vraie, il faut convenir que Serge pouvait difficilement faire un choix plus périlleux. Non pas que Simone soit une mauvaise fille, bien au contraire. Elle est non seulement jolie, mais responsable, généreuse, sensible — le vrai portrait de sa mère, qui est une sainte femme. Mais le père!

Si, de par mon état, je ne croyais pas au démon (qui est, en tout cas, une référence très utile), je n'aurais qu'à méditer un peu sur ce spécimen assez rare de brute intelligente et totalement féroce. L'intelligence faite crapule : fourberie, fainéantise, ivrognerie, cruauté, lâcheté composent à parts égales cette surprenante personnalité. Comment a-t-il pu subjuguer la bonne Démérise, si éloignée des vices qui le rongent? Il faut croire que certaines personnes sont nées pour le martyre, comme d'autres pour la bonne gestion des supplices. Je m'étonne tout de même qu'un drame sanglant n'ait pas encore éclaté dans cette masure où grouille une marmaille surabondante, comme seules les familles les plus pauvres arrivent encore à en produire.

Je vois ça : Serge, gendre d'Ernest Courtois! Car le bandit est bien capable de manigancer un mariage qui lui fera honneur, et qui lui profitera. Heureusement, ce ne peut être pour tout de suite. Il a dix-huit ans et elle, un peu moins sans doute.

Mais Courtois n'est peut-être pas encore au courant des fréquentations de sa fille. Diable! si Honorine l'est, l'autre l'est sûrement aussi. Tout ce qui circule de *mal* dans cette ville passe d'abord par lui, toujours. Il est l'ange de ces choses-là.

N'a-t-il pas été éboueur? Ange de la boue?...

Les poubelles n'ont pas de secret pour lui. On raconte qu'il a fait chanter un digne marguillier pour des magazines pornographiques qu'il avait découverts dans ses ordures.

Ange de la boue... Je ne les vois jamais sans émotion, ces jeunes hommes aux cheveux longs, torses nus, cuivrés dès le printemps par le soleil ; lancés dans une course exténuante, de monceau en monceau de saletés ; capables de soulever des poids considérables... Ils n'ont pourtant pas l'air de colosses. Quels corps admirablement faits! Leur métier les rabaisse à leurs propres yeux, ils n'ont pas conscience de leur grâce extrême. Semblables à l'abeille, toton d'or qui saute de fleur en fleur... Oui, ce sont des anges, mais leurs ailes sont de plomb.

Courtois était archange, lui, et trônait dans son camion, invectivant sa horde.

Je n'ai jamais su au juste comment cette aventure a fini — car, avec lui, tout est aventure — mais, au bout de deux ans, il vendait son camion et redevenait chômeur, définitivement. Telle est sa véritable vocation. Il touche le bien-être social, et sa pauvre femme fait des ménages.

Il a sans doute les yeux sur la petite fortune de Serge. Dieu merci, Honorine n'est pas femme à se laisser manœuvrer.

J'imagine : on la découvre, un soir, la gorge tranchée, dans la ruelle qui longe le cimetière. Une grosse veuve, saignée à blanc. Le lendemain, faraud, Courtois allume une cigarette avec un vingt dollars trouvé, dit-il, près des lieux du meurtre, en compagnie de beaucoup d'autres, tout un magot… Je ferais un bien mauvais auteur de romans policiers.

❑

Bizarrement, d'apprendre les amours (supposées) de Serge avec une jeune fille (comme s'il pouvait en être autrement !) ne soulève en moi aucun sentiment de jalousie, pas même de douleur. Peut-être cela viendra-t-il plus tard, mais pour l'instant, tout se passe comme s'il n'y avait guère de rapport entre le Serge réel et celui de mes rêves. J'ai trop aimé à vide, trop longtemps, pour que mon désir s'oriente d'un coup vers la réalité.

Pourtant, aurais-je à ce point la sensation d'être damné si mon rêve n'était saturé de réel ?

C'est tout de même *cette chair* qui me bouleverse jusqu'aux os.

Il faudrait que je lui parle. C'est bien ce que veut sa mère : que je le mette en garde contre le danger de telles fréquentations. Mais je déteste intervenir dans la vie privée des gens. Et puis, tout ce qui risque de créer un froid entre nous me répugne. Que faire ?

Gratte ta bedaine, vieux con, va chier !

(Pardon ! Pardon, maman chérie, je ne recommencerai plus. Je parlerai curé, j'éviterai les gros mots qui font de la peine au petit Jésus. Je laverai mon cahier au Spic and Span, mon beau cahier, je le rendrai propre comme une âme de première communiante — apparemment ! Parfois, belle maman, j'ai du vertige dans ma tête et tes yeux noirs m'apparaissent. Parfois, c'est un tourbillon plein de cheveux, de papiers sales, et ta satanée voix me plie, me met à genoux, me fait courber jusqu'à terre. Et tu passes, sur moi, comme un rouleau compresseur. Je redeviens plat et sage comme une image.)

Mon Dieu, pourrais-je vous aimer simplement, pour vrai ? Pourquoi, à cet état de prêtre qui est le mien aux yeux de tous, je me sens (me senté-je ? me sens-je ?) à la fois si accordé et si étranger ? C'est cette affreuse attirance pour la chair mâle qui m'a *décollé* de ma foi, rendu fourbe et malheureux, inconsolablement. Piteux calvaire ! J'avance, plein de non-dit, vers la grande éclaboussure qui fera de moi le pitre, l'hostie de boue. — Ah! Ah! toujours la pente du blasphème! Comment, étant moi, être pur? Je veux être pur, et saint, et vierge, et beau, et fiancé à la sainte Église comme à la femme noire et belle du Cantique.

Être pur. Il y a plein d'instants de ma vie où j'ai tendu vers la perfection, naturellement, comme la flamme tend vers le haut (le ciel). La prière montait en moi, s'exhalait mêlée à mon souffle, semblable à une plainte ou un murmure, à un merci sans calcul. Merci, mon Dieu, de ma vie, des âmes que je sers, merci de l'ombre et du devoir, de la voie tracée droite, de ma souffrance, merci de vous par qui j'aime et je souffre. C'étaient des accalmies, dictées par une nécessité de mon combat. Il me semblait que cette douceur triompherait du mal, que je cesserais un jour d'être déchiré; Dieu me prendrait sous son manteau, me réchaufferait contre sa *grandeur verticale* (j'écris n'importe quoi). Dieu est un roc chaud, qui s'élève jusqu'aux nues — à vitesse constante, à vitesse de Dieu. M'appuyer contre cela, c'est être aspiré vers le haut, pourtant ce roc est lisse, il file et ne bouge pas, il est bas et haut — c'est un mystère! Je déraisonne, pourquoi pas? Vieille pédale, l'hystérie m'est permise.

J'ai demandé à Pierrette de ne jamais me déranger quand je suis dans cette petite pièce où je rédige mes sermons, où j'écris aussi ce journal clandestin. Mais, la pauvre, elle a osé

frapper à ma porte, c'était monsieur le curé Y.,
il voulait à tout prix me parler. Je l'ai reçu ici,
où je me sens chez moi plus qu'ailleurs, avec
ces livres qui m'entourent et quelques reproductions de tableaux chers à mon cœur. Il s'est
écrasé dans un fauteuil, puis il s'est mis à pleurer comme un gamin. Je l'aurais giflé.

— Alors, quoi?

Il n'en finissait plus, rouge, humilié de sa faiblesse, incapable de reprendre pied. À la fin,
comme il se calmait un peu, la bonté me revint
et je lui touchai un peu l'épaule, en frère.

— Allons, remettez-vous… Il vous est arrivé
quelque chose?

Son récit fut long, et incohérent. Je crus comprendre qu'il avait agressé une petite fille, de
huit ou neuf ans, complètement terrorisée, et
qu'elle s'était mise à saigner de façon si abon-
dante qu'il avait fallu la conduire d'urgence à
l'hôpital. Les parents et plusieurs autres personnes étaient maintenant au courant et le cher-
chaient pour le tuer, disait-il. Tout le temps qu'il
parlait, je voyais sa grosse main d'étrangleur
s'ouvrir et se fermer comme un crustacé répu-
gnant.

Il m'a fallu deux heures pour le convaincre
que le meilleur parti à prendre était de se livrer
à la police, qui prendrait avec l'évêché les arran-
gements nécessaires.

Pauvre Y.!

V

Et pauvre de moi !

Je ne suis pas pris, comme lui, dans l'engrenage du scandale, qui tourne vite et qui a tôt fait de déchiqueter sa proie. Je suis pris dans un très lent engrenage, qui m'a happé dès ma naissance et qui me lâchera, par-delà la vie, en plein enfer, car tout engrenage mène à quelque chose, à l'expiation. On expie le tort d'avoir été happé, d'avoir été conduit jusqu'au point où on expie. Grand cercle vicieux de tout. Tort d'avoir tort, sans raison. Tort d'être, d'être pour avoir tort.

Passer du grand engrenage au petit peut être une solution, mais moi, plutôt que d'affronter la réprobation de tous ces justes, sûrs de leurs droits, j'aurais peut-être le courage — ou la lâcheté — de mettre fin au cauchemar, de bloquer pour de bon l'engrenage. Par le suicide, je mériterais un peu mieux ma damnation. Aller résigné à la mort, c'est faire don de sa vie aux juges et aux bourreaux. Il faut gagner sa mort, à coups de dents, s'échapper jusqu'au bout. Broyé, mais s'échappant. Ô Dieu!

Je refuse encore la volonté de Vous défier. Pourtant, si pénible m'est l'existence que je ne puis Vous pardonner. Vous me perdez, chaque jour de ma vie.

Réveillé, cette nuit, par un rêve très érotique. J'étais dans un bar, avec de beaux garçons nus. Nous étions tous debout. L'un, en particulier, me fixait en souriant. C'était une sorte d'idole, d'origine lointaine — quelque chose comme les Philippines. Il était très grand, étroit, mais une beauté sans nom irradiait de sa peau jaune, de son visage rond et bienveillant, de son sexe énorme dressé comme une statue, d'une pureté de lignes admirable.

Serge, qui hante pourtant mes rêveries diurnes, n'existait pas. J'étais dans le luxe du songe.

❏

Je fais parfois des exercices d'hétérosexualité, imagine avec application la *nudité complémentaire*. Non sans résultat. Me reviennent alors à l'esprit tous ces débats sur le célibat des prêtres.

Pas la peine d'être normal, s'il faut châtier toute chair.

❏

J'ai eu, longtemps, une dévotion à Marie. Elle n'avait pas de visage dans ma prière, et surtout pas celui de ma mère. C'était une jeune femme et un voile. Ses pieds nus, comme dans les images, posaient sur rien, sur un liséré de ramures ou de brouillard. Je la savais belle, telle une Madone de Raphaël ; presque une enfant, émue et un peu triste. Le démon me suggérait toujours la pensée incongrue de ses fesses.

Je la priais d'exorciser mes démons. Mon confesseur d'alors, le vieil abbé Desmeules, à moitié au courant de mes tourments (je lui en cachais les aspects crus), voyait en elle mon unique recours. « Prie-la, disait-il, et prie-la encore ! Elle te donnera Dieu vivant. » Sur son lit de mort, il me dit : « Je vais la voir et lui parler de toi. Aime-la plus que ton âme. »

Je crois que j'ai cessé de prier Marie quand j'ai découvert la télévision, plus tard que tout le monde. Ce devait être au début des années soixante. Il y avait, sur l'écran, des visages de rêve. Et puis, dans l'esprit de Vatican II, on s'élevait avec force contre les « dévotionnettes mariales ». On revenait à Dieu père, celui qui aime, comprend, protège. Le père des temps modernes : un bon diable.

Je le préfère encore au Christ, dont la nudité, outragée, rayonnante, m'affole.

❏

L'idée m'effleure parfois : je suis un obsédé. Un obsédé sexuel. Je ne pense qu'à ça. Ma vie est remplie de la pensée du sexe. Si j'étais normal, né normal, si j'avais *grandi* normal, je penserais à Dieu, aux autres, à la paroisse, aux moyens de ramener les hommes à Dieu et à l'Église. Ou encore, je renierais ma foi, je quitterais l'état de prêtre et me marierais, avec une femme qui recevrait ma joie et à qui je procurerais du bonheur (en tremblant), une femme qui me ferait peut-être des enfants pleins de cris, de rires. Je serais un homme. Je suis une moitié, et je ne pense qu'à cette moitié qui me manque, un sexe. Cette moitié, hélas ! hélas ! un être adorable l'incarne, ange terrible. Ange avec ce saint sexe qui me manque et dont la seule envie me damne.

Je n'ai pas encore parlé à Serge, depuis la visite de sa mère. Où en sont les choses ? Couche-t-il avec la petite ?

Pourquoi ne suis-je pas jaloux ?

Si, je dois l'être, mais à une profondeur telle que rien ne paraît à la surface. Même mes rêves semblent faire diversion à ma passion. J'ai revu, la nuit dernière, cette idole invraisemblable, souriante, et nous avons célébré sans complexe — si je puis dire ! À un moment donné, il était dans mes bras une vraie femme, et je le possédais, et je mourais, et je pleurais.

❑

L'hiver est maintenant tout à fait installé. Il y a peu de neige, mais le froid est vif. Bientôt Noël, et les célébrations d'usage. C'est mademoiselle Héloïse qui dirigera les activités musicales. Serge ne se plaint pas du petit congé, ses acolytes non plus. Serge est conscient de la peine que son engagement a causée à la bonne demoiselle, je crois même qu'il a cherché à s'en expliquer avec elle.

Une chose est certaine : plusieurs jeunes, en partie des amis des musiciens, ou des camarades de classe, fréquentent assidûment les offices.

Quand revient Noël, je rentre dans les piétés de mon enfance, le monde est comme une boule de délicat métal rouge fuchsia qui irréalise tout ce qui s'y reflète. Elle pèse si peu que la branche aux aiguilles vertes s'incline à peine vers le sol. J'ai souvent miré ma face écarquillée sur cette sphère aimable, décevante.

Je vais dans la vie, j'avance ; les Noëls s'additionnent et sont comme autant de trahisons de cet âge où le merveilleux était vécu absolument, malgré les dures réalités de l'enfance.

L'enfance, c'est le temps où on tombe sur terre, où on apprend à vivre — à demi-vivre — comme des adultes. On était un frais infini, libre d'allure et de foi, lâché dans le plaisir *non sexuel* de tout. Il faut devenir celui qui pense et aime droit, bien aligné sur le devoir conjugal ou sur les équivalents permis, la prêtrise par exemple, où l'homme et l'Église se fondent dans l'austérité noire d'une même robe. Le curé est toujours marié à l'Église, il est dans l'état des noces consommées. Son sexe, sous la soutane, ne récupère pas. L'orgasme a toujours déjà eu lieu, dans un temps mythique et constamment reconduit. Le service de Dieu est affaire de fatigue, d'hébétude. *Post coitum, homo tristus*. Je suis triste, je suis homme.

Penser à Serge me redonne du corps, mais, diable, comment passer aux actes? Comment? Comment? Le pauvre n'a aucune idée de l'attention que je lui porte. Il m'est impossible de la lui manifester sans déclencher une catastrophe aussi certaine qu'imprévisible dans sa nature. Heureusement, cahier, mon beau cahier, tu es là pour éponger mon besoin de crier que j'aime, que je vis. Aide-moi à tenir le coup, aide-moi à passer le temps que j'aime.

Imaginer des scénarios.

Il se réveille, un matin. Un samedi (jour de congé). Il est environ neuf heures trente... plutôt dix heures. Sa mère l'a laissé dormir, a pris soin de ne pas hausser le volume de la télévision. Il est assis au bord de son lit, dans son pyjama bleu ciel au liséré foncé qui fait, sur son corps, des chutes d'étoffe chaude. Il est encore plein de sommeil. Il bâille, en étirant lentement ses deux bras, en cambrant son torse. Il se rend compte qu'il est en pleine érection, et que ses rêves de la nuit sont encore collés à lui, comme des mains qui palpent. Palpent, palpeuses. Un visage éclair, une blonde aux joues un peu rouges, si chair, lourde... Il va fermer la porte, pour n'être pas surpris, et se débarrasse de ses vêtements. Complètement nu, il s'étend de tout son long sur le dos, glisse ses mains sous ses reins, puis par un mouvement de bascule...

N'insistons pas. L'obscénité rend fou, en tout cas elle déséquilibre. Il faut passer sous silence les actes les plus crus, impossibles à sublimer.

J'abrège donc. Après cette petite séance d'exaltation charnelle, Serge bondit sur ses pieds, le regard d'un bleu lumineux sous ses cheveux noirs. Bleu, noir. Lumière, meurtre. Cheveux de meurtre, de crime étincelant. Mine de rêve en plein jour. Il se sourit dans la glace, bien réveillé maintenant. Prêt pour le meurtre (un ange n'a pas d'autre pensée). Meurtre symbolique, bien entendu. Tuer le temps, par exemple. Ou sa mère. Ou tuer les affreux.

Il pense à Simone, la fille de l'éboueur (ou du chômeur, au choix), qui s'accroche à lui depuis quelque temps. Elle est bien jolie et elle l'aime, n'est-ce pas troublant ? tentant ?

Ici, l'imagination me fait défaut. Je ne suis qu'un pauvre curé. Comment pense-bande un jeune homme sain, aux yeux un peu trop bleus, sous ses cheveux noirs bien plantés qu'il n'est pas près de perdre ? Comment pense-bande un vrai petit dieu en une personne, deux bras, deux testicules et plein de peau pour contenir ses jolies humeurs ? (La passion m'égare. Pauvre cahier ! Tu risques, à chaque mot que j'écris, de te retrouver au panier.)

Puis il se souvient qu'il a donné rendez-vous à ses musiciens, au début de l'après-midi. Il faut répéter deux chants nouveaux, pour la messe de cinq heures et la grand-messe du lendemain. Avec un soupir, il pense soudain à moi, qu'il ne connaît guère, mais pour qui il éprouve du respect, de la gratitude et une certaine sympathie (rien de ce que me disait Honorine, sa mère : que j'étais comme un père pour lui, un père, pouah !). Il pense, donc, à moi tout en enfilant un mince slip qui moule mollement sa chair assagie. Quelque chose, il ne sait trop quoi, dans mon attitude, l'intrigue. Il sent une sorte d'insistance, malgré ma réserve (je n'ai *aucune* cordialité, pas plus avec lui qu'avec quiconque). Il pense qu'entre nous quelque chose n'est pas dit et qu'il faudra, un jour, vider l'abcès (l'abcès ?). Voilà ce qu'il pense, en remuant un peu ses lèvres émouvantes, car il est seul et se tient à lui-même une petite conversation muette, le menton piquant d'une barbe qu'il faudrait bien raser.

Je vois ses poils, chacun des poils de son menton, de ses joues, de son torse, et le reste. Le tout. Chacun de ses poils est un poème, une érection de matière nocturne, avec des reflets d'aube. Sa vie passe par là, parfaite, attentive. En attente de qui?

Chacun de ses poils m'attend, je le bénirai. Quelle tristesse de penser que son système pileux est parfaitement au fait de mon amour, m'attend, me veut et que lui — cervelle blanche et catholique, née normale — est à mille années-lumière d'imaginer ma coupable passion. C'est que ma passion est coupable du point de vue des lois et de la morale, non de la matière. La matière est innocente. Sur elle, Dieu ne règne pas. J'irai à lui, je m'adresserai directement à ses poils, à sa matière. Je leur dirai : « Étoiles, lances, profusion noire, touffe en colère, kératines de soie, soyez miennes, par la barbe, par la barbe du prophète, soyons même passion. » J'épouserai ces poils, cette mer. J'épouserai ce corps et ses mousses. Je boirai ses lichens. Le vent me donnera des raz de marée d'étincelles, des chapitres de goémons. Fin de la digression.

Oui, je deviendrai fou. A-t-on idée d'*aimer* à ce point? À vide, en tout honneur?

Est-ce bien une propédeutique à l'acte?

Je l'aimerais encore s'il perdait tous ses poils, tous, et devenait blanc comme le blanc d'un œuf bien cuit. Je l'aimerais comme un fils *surexposé*.

Retour au scénario. Il pense donc à moi, à nos rapports énigmatiques (« Car enfin, pourquoi me veut-il tant de bien? »), puis passe à une autre idée, laquelle? Simone, *of course*. Ou plutôt, son père, cet homme abominable qu'il n'a jamais rencontré, mais dont la réputation lui est bien connue. Il passe son jean, un maillot de corps blanc puis une chemise de rayonne d'un rouge écarlate, finit de se mettre en état, quitte la chambre où s'étale, comme une chrysalide légère et un peu obscène, son pyjama aux jambes largement ouvertes.

❑

Ai bavardé quelques instants avec Serge, après la messe. Je le regardais d'un œil neuf, après ce que j'ai écrit sur lui. C'était comme si mon scénario avait plus de réalité, d'intensité, de couleur que sa vie même. À côté de *mon* Serge, il m'a paru plus lourd, plus lent. Une autre grâce à aimer.

J'aurais voulu lui dire : tu ne te connais pas. Viens avec moi, viens dans mon cahier, je te montrerai comment tu es. Nous vérifierons tes poils, un à un. Nous compterons les étoiles.

J'aurais baisé la viande molle, violette de ses lèvres.

❑

Scénario. Voilà Serge vêtu. Il quitte sa chambre. Je veux que, dans quelques heures, il mange dans ma main. Mais lui ne s'en doute pas le moins du monde. Il est innocent comme du pain.

Il n'a jamais vu en moi qu'un bon diable en soutane (façon de parler : je m'habille en monsieur).
Il ne devine pas, sous l'enveloppe, le cœur prêt à
se fendre. Je devrai lui expliquer tout ça, l'amour,
les turgescences. Heureusement, il y a l'énorme
pouvoir de suggestion. Le chat n'a pas besoin de
longue explication avec l'oiseau. Il passe à l'acte.
Je lui dirai : tu es là, sois gentil. Ferme les yeux.
Laisse mon cœur monter jusqu'à toi, jusqu'à tes
lèvres tièdes, à ton souffle au parfum de cannelle
et de cendre, à ta salive qui laque. Laisse. Laisse
ma main t'ouvrir comme une spathe, cueillir l'épi
de ta force, pour qu'il soit entre nous comme
l'épée. Épi, épée. Dans quelques heures. Dans
quelques heures, tu es mon lévite à jamais. Tant
pis pour le ciel et l'enfer, qui tomberont dans la
fosse à purin. C'en sera fait des fables : je serai
majeur, et tu seras mon fils aimant. Chair de ma
chair, âme de mon âme. Pourquoi es-tu tant né ?
Pourquoi promènes-tu ta beauté de radium dans
les champs désolés de mon existence ? (Question
mal posée.) Pourquoi, de tes deux jambes si fuselées, promènes-tu le bloc étincelant de ta grâce
dans les erres de ma manie ? (Voilà qui est bien,
très clair, sans pathos. Bravo ! bravo ! Honneur
au poète !)

Mais nous n'en sommes pas là. Pour l'instant,
il est tout juste vêtu, jean bleu, maillot blanc, chemise rouge (largement ouverte sur le maillot). Sa
mère l'embrasse, le fait asseoir à la table de cui-
sine.

— Tu as bien dormi, mon grand ?
— Oui, merci.

Il sourit un peu, très vaguement, en se rap-
pelant des morceaux de luxure. Il se sent imbibé
de sexe des pieds à la tête, voudrait se purifier
un peu. A-t-on idée, d'être si barbouillé de
désir ? Il pense à cette curieuse façon qu'il a de
se faire jouir, songe qu'il devrait s'en défaire.
Pourquoi ne pas s'en confesser ? Il est catholique, après tout. Et ce brave curé pourrait bien
l'aider. — Tiens ! voilà une fameuse idée. Plus
mon scénario sera vraisemblable, plus il méri-
tera de se réaliser. Je suis comme l'araignée tis-
sant de rêve une belle occurrence de mouche.
Poursuivons !

Oui, cet après-midi, avant la séance de travail
qui doit commencer à deux heures, il me deman-
dera au parloir. Ou plutôt, il prendra rendez-vous
dès ce matin par téléphone, de façon à disposer
de toute une heure. Pendant qu'il réfléchit à ça,
sa mère, comme une grosse abeille, s'active
autour de la table, rapproche les pots de confi-
ture, enlève le verre qu'il vient de vider d'un trait
(sacramentel jus d'orange du matin), prépare le
café instantané. La télévision, derrière, diffuse
des annonces publicitaires archi-connues, entre-
coupées d'un jeu questionnaire qui met aux prises de grosses ménagères à lunettes.

Serge est étonné, tout de même, de l'idée qui
lui est venue de s'ouvrir à moi de ses problèmes.
Je le suis aussi... Serait-ce que je représente

vraiment quelque chose comme un père pour lui ? Décidément, cette idée me poursuit. Qu'elle vienne d'Honorine n'a rien pour me la rendre acceptable. Cette corpulente personne pourrait-elle avoir de la psychologie ? Ce n'est guère le fait des dames patronnesses. Mais je crois qu'elle aime sincèrement son fils (comment ne pas aimer une telle merveille ?) et que la maternité la rend lucide. Sur certains points. Bien entendu, elle ne saurait concevoir le danger que représente le fait de mettre son rejeton adoré en rapport trop direct avec moi. Elle voudrait que je décourage les fréquentations inconvenantes de Serge, que j'intervienne dans sa vie comme un conseiller spirituel et amical. Je le ferais, je le ferai volontiers, mais il y faut de la prudence. L'idéal, c'est que, de lui-même, Serge vienne à moi, recherche mon assistance. Et voilà, c'est ce qu'il s'apprête à faire. Il veut me parler à la fois de Simone et de ces mauvaises habitudes qu'il a contractées, et dont il rougit. Il veut laver son âme. Il veut devenir aussi beau dedans que dehors.

Il me donne donc un coup de fil (de sa chambre, pour ne pas éveiller d'inutiles curiosités) et prend rendez-vous pour une heure.

Quand il entre dans le petit parloir aux larges vitres dépolies, le lieu minable est comme secoué de déflagrations silencieuses. En fait, c'est moi qui suis ravagé d'éclairs, et je manque avoir une faiblesse. Par bonheur, il ne s'en rend pas compte.

— Assieds-toi, Serge. Qu'est-ce que je peux faire pour toi?

Je souris — de mon demi-sourire qui est rien de moins qu'apparent et qui est la suspension simple de mon habituelle morosité. Pourvu que mon visage, si naturellement rébarbatif, n'arrête rien! Je sens mes joues, je leur en veux d'être tombantes.

Il est là, intimidé, ne sait pas par où commencer. Mis en situation de parole, il se découvre soudain très vide, ne comprend plus les raisons qui lui ont fait solliciter cet entretien. Il est partagé entre la honte d'avoir pris au sérieux de faux problèmes et le ridicule de m'avoir dérangé inutilement. Sa confusion se résout en un petit rire sans gaieté.

— Voilà... monsieur le curé, je ne sais plus très bien ce que je voulais vous dire.

— Est-ce que ça concerne le chant? Tu sais que votre formation est très appréciée. J'en ai eu encore des échos récemment.

Cette piste, la plus facile, lui convient et nous bavardons allègrement là-dessus pendant quelques minutes. Je comprends qu'il veut fuir ses préoccupations intimes et me vois forcé de l'y ramener.

— De quoi, précisément, veux-tu me parler? De ta vie intérieure? As-tu des ennuis, je ne sais pas... des mauvaises pensées? À ton âge, la vie n'est jamais facile. Il faut apprendre à concilier les forces de l'instinct, qui sont parfois terribles, avec les exigences de la morale, de la raison...

C'est la première conversation sérieuse que nous avons. Bien que l'émotion me bouleverse (je ne pense qu'à son nombril, noire escarboucle sous le triple bâillon du maillot, de la chemise et du jean), une longue expérience des mots de l'âme me donne une aisance qu'il est loin d'avoir. Il ne répondra sans doute que par saccades et bafouillements, j'aurai l'initiative, ferai les questions et presque les réponses. Vive l'âme! J'y suis expert.

Il respire longuement, un peu blême, puis se décide à la confidence.

— Monsieur le curé, il y a deux choses. Il y a ma petite amie, j'aimerais vous demander conseil au sujet des problèmes qui se posent, du fait de son milieu... un peu particulier. Et puis il y a ma... (il rougit) ma sexualité...

— Bon. C'est très bien. Procédons avec ordre. Si tu veux que je t'aide, il faut que tu répondes très franchement à mes questions. Même si tu crains de... m'étonner, ou de me scandaliser. Je ne suis rien d'autre que le représentant de Dieu, c'est à lui que tu parles. Et, de toute façon, sache que j'ai entendu des confidences de toutes sortes, depuis vingt-cinq ans que j'exerce mon ministère, et rien, absolument rien ne peut m'étonner. D'ailleurs, tu te fais sans doute des montagnes avec des taup... de petites buttes. Allons, commençons par ta vie sexuelle. Tu te masturbes, de temps en temps?

— Oui...

— Combien de fois par semaine ?

— Oh ! dix... douze fois... Peut-être plus.

(Magnifique vitalité ! La fréquence n'est pas excessive, mais témoigne d'une solide santé. Bravo !)

— Ça veut dire : souvent plus d'une fois par jour.

— Oui, plus d'une fois...

— Et as-tu des remords, après avoir commis l'acte ?

— Des remords ? Oui, un peu... Oui et non. Si je viens vous voir, bien sûr, c'est parce que je ne suis pas content de moi. Mais la raison de mon mécontentement, c'est plutôt...

— Tu dis ?

— C'est plutôt pour la façon dont je m'y prends.

— Comment t'y prends-tu ?

Il respire profondément, pose sur moi un regard clair, confiant, un peu triste.

— Quand j'étais petit, il m'arrivait souvent, le soir, en me déshabillant, de prendre de drôles de postures au bord de mon lit, par exemple de me renverser complètement comme pour une culbute arrière et de rester comme ça, assez longtemps — jusqu'à ce que je devienne tout étourdi. Plus tard, après ma puberté, j'ai retrouvé spontanément ce mouvement du corps, très agréable parce que... on dirait que tout le corps va s'ouvrir, laisser pénétrer la fraîcheur...

et puis le sang vient dans la tête... En tout cas!
Et j'ai constaté que je pouvais, une fois en érection, me prendre dans ma bouche et...

— J'ai compris. Et tu vas jusqu'au bout?

— Oui.

— Tu es conscient que cet acte ne plaît pas
au Seigneur?

— Bien sûr... mais, dites-moi, monsieur le
curé, est-ce vrai que ce sont les tapettes qui font
ça?

— Les tapettes! celles qui le peuvent, oui,
sans doute. Il faut des dispositions anatomiques
particulières : une échine souple, un membre de
proportions considérables. Je suppose qu'il
n'est pas absolument nécessaire d'être homosexuel pour goûter ces joies, qui relèvent de la
satisfaction solitaire. Il est vrai que la fellation,
forcément...

— La fella...

— Fellation. C'est le terme qu'utilisent les
sexologues pour dire : sucer. Mais — pour revenir à ta question — si tu étais «tapette», comme
tu dis, tu le saurais bien par d'autres indices. Est-
ce que la pensée de la nudité masculine t'excite?
Ou plutôt, te complais-tu dans ces évocations?

— Non. Mais il paraît qu'on peut être
tapette sans le savoir.

— L'homosexualité refoulée est un phéno-
mène assez fréquent, en effet. Tu sais, mon fils
(ici, Serge frémit visiblement), la parfaite hétérosexualité est le signe d'une grande maturité

affective. Rares sont ceux qui dominent tout à fait les diverses tendances qui les habitent. Les déviations, les perversions sont le lot de chacun, à différents degrés, et beaucoup les refoulent dans les profondeurs de leur être, sans pour autant les avoir maîtrisées. À ton âge, de toute manière, on n'a pas encore la maturité émotive, sexuelle, on est malléable...

— Si, au moins, j'avais un modèle, un exemple pour me guider dans la vie...

— En effet, la mort de ton père te prive d'un secours précieux. C'est bien à ça que tu fais allusion ?

— Oui. J'avais douze ans quand il est parti. J'étais encore presque un enfant.

— Oui, tout à fait. Mais la perte d'un père, si douloureuse soit-elle, n'est pas une catastrophe définitive. D'abord, ton père continue de vivre dans l'au-delà et il te protège, sans peut-être que tu t'en rendes compte. Il est là, il veille. Tiens, c'est peut-être lui qui t'a conseillé de t'adresser à moi. Et puis, la paternité physique n'est pas la seule. Il y a des paternités spirituelles qui peuvent la relayer, quand elle vient à manquer.

— Oui, monsieur le curé, oui ! c'est très vrai ! J'ai souvent pensé à vous comme à un père, un guide !

— Cher enfant !

Une émotion subite nous empoigne et nous jette presque dans les bras l'un de l'autre. Je me

contente de poser la main sur son genou et de l'y
oublier. La situation est périlleuse, mais le recul est
impossible. Pour bien l'étourdir, je lance la conversation dans la direction qui flattera sa vanité.

— Et ta petite amie ? Parle-moi un peu
d'elle.

Il reste silencieux quelque temps. Je crains
que tout ne soit compromis. Je vais retirer ma
main, quand il se met soudain à parler.

— Je voudrais... je voudrais être digne de
l'amour qu'elle a pour moi. Elle est très belle,
vous savez. Elle est belle, mais de plus elle est
bonne, si bonne ! Ce n'est pas une bonté ordinaire. Je crois que l'idée de faire du mal ne lui
viendrait jamais. C'est comme une nature chez
elle, elle ne *peut* pas faire le mal.

— Voilà qui est bien... Mais veux-tu dire par
là qu'elle respecte les saints commandements,
concernant notamment l'œuvre de chair ?

— L'œuvre de... Non. C'est vraiment en
rapport avec ce que vous appelez la charité.
Simone — c'est son nom — est une jeune fille
charitable, comme jamais je n'en ai connu.
Tout, en elle, est douceur, générosité. Du matin
au soir, elle assiste sa pauvre mère, s'occupe de
ses frères et de ses sœurs, très nombreux... trop
nombreux ! Enfin, inutile de vous le cacher : elle
est la fille de l'éboueur.

— L'éboueur ?

— L'ex-éboueur, si vous préférez.

— Ernest Courtois ?

— Voilà. Vous vous imaginez un peu ce que c'est, de vivre dans pareille maison.

— Oui, un peu...

— Enfin, monsieur le curé, je ne veux pas dire du mal de mon prochain, mais vous connaissez la réputation de cet homme.

— L'as-tu rencontré ?

— Non ! Je n'y tiens pas du tout, et Simone non plus. Sa mère seule est au courant de notre relation.

— Depuis quand sortez-vous ensemble ?

— Depuis le printemps.

— Vous voyez-vous souvent ?

— Deux ou trois fois par semaine. Quand il est à la maison, c'est beaucoup plus difficile. Il ne veut pas qu'elle ait d'amoureux.

— Et votre relation est-elle pure ?

— Je...

— Couchez-vous ensemble ?

— Eh bien... oui, n'est-ce pas normal ? Nous sommes majeurs, tous les deux. Moi, c'est la première fois que je vais avec une fille. Mes copains riaient de moi. Il y en a qui font l'amour depuis l'âge de quinze ans.

— Et elle ?

— Quoi, elle ?

— Es-tu son premier amour ?

Il a une hésitation, penche la tête.

— Pour être franc, je crois qu'elle a eu des expériences avant moi. Enfin, *une* expérience...

— Elle n'était pas vierge ?

— Non.

— Et tu dis qu'elle est une personne honnête?

— Cette expérience qu'elle a eue n'était pas
volontaire.

— Elle a été violée?

— Elle ne me l'a pas dit, mais…

— Quand on est violé, souvent, c'est qu'on
s'expose.

— Je crois… je crois que c'est son père.

— Hou!

Les contours du mélodrame se précisent.
Ma main, tout ce temps, a fait de prodigieux
efforts d'immobilité. Elle repose toujours sur le
genou, dont les qualités sensibles — chaleur,
volume, galbe — la pénètrent et la saturent doucement. Ah! s'il y avait retour, de ma main à ce
poème d'os!

Fin du petit roman. Fin provisoire, en tout
cas. Je le reprendrai peut-être, histoire de véri-
fier si ma main est capable de miracles. Pour
l'instant, je m'intéresse plutôt à l'extraordinaire
fausseté de mon dialogue. Si ce dialogue était
vrai, s'il sonnait juste, la partie serait gagnée: je
serais un amant heureux, ou un mort bien tranquille. (Le suicide sacerdotal: beau sujet de
recherche pour un sociologue dans le vent.) Ce
qui me sauve (ou me perd), c'est que je suis
réduit à tout imaginer. Et plus l'imagination vole
haut, montée sur le gros oiseau bleu du désir,
plus ce que j'écris hérisse le sens commun. J'ai

créé de toutes pièces cette fantaisie sexuelle dont mon beau Serge est sans doute bien incapable, anatomiquement d'abord puis spirituellement. Je dis bien spirituellement, car seule une religion ou une discipline ascétique, comme le yoga, peut faire fond sur des postures aussi extravagantes — cul par-dessus tête, à la lettre! Il faut aussi un goût peu commun de transcendance pour s'instituer son propre inséminateur, au nom du Père, et du Fils... L'Ouroboros, ce serpent mythologique qui se mange la queue, est à la fois totalement lui-même et totalement un autre, totalement l'Autre avalant le Même en se communiquant au Même sous la sainte espèce séminale (diable, tant de métaphysique fait que je m'emberlificote, ô clarté française!).

J'ai imaginé aussi Honorine. En fait, je la vois très bien tartinant son pain au bel enfant, ne se rendant pas trop compte qu'il n'a plus six ans, ou douze, ou seize, mais que le voilà un grand garçon, plein de sang, sexe en l'air. Elle le bichonne, elle l'astique, elle éponge ses petites tristesses et ses angoisses devant l'avenir, et quand il a besoin de pleurer, elle lui prête son épaule large comme un divan, il s'y pelotonne au complet. Viens, mon Nounou, mon Gougou, viens défrayer ta petite maman, la payer de son dévouement, lui rendre en belle confiance l'affection qu'elle t'a prodiguée, etc. C'est elle qui t'a allaité, langé, récuré, et tout le reste. Elle a embrassé tes petons, ton petit nombril. Elle t'a enseigné tes prières et les manières de table. Elle t'a fortifié contre l'adversité, défendu contre tes ennemis.

Et puis, quand elle a vu que tu tenais beaucoup à ta maudite guitare, que tu voulais devenir un rocker, elle est venue me voir et nous avons concocté ensemble la grande manœuvre, dont notre chère Héloïse a fait les frais. Te voici, mon beau, mon grand, kapellmeister de Sainte-Lucie de Valences, Québec. Tous les samedis, tous les dimanches, tu joues devant l'Éternel, plus un public à qui tu restitues les sonorités et les agitations familières de sa télévision.

Grâce à toi, nous sommes dans le coup. L'église, le saint sacrifice de la messe, Dieu lui-même prennent allure de *présent*. Quelque part, sur la planète Terre, l'infini se chante sur le mode actuel, et en français. L'infini est créé, proféré par ta voix qui émane de ton puissant appareil de chair et d'os, d'organes tout luisants de jeunesse, tout rayonnants de vie. Tu chantes, et les accords de ta mâle guitare font vibrer les vitraux et les cœurs. Et les tonnerres du batteur, les froissements d'étoiles du synthé subordonnent le cosmos à ton chant recteur. Tu es le recteur. Nu, tu ne le serais pas davantage, dans ton apparat de muscles et de poils. Tu es le recteur en jean, en chemise écarlate, tu resplendis bleu blanc rouge comme la glorification phallique du Fils, et nous t'adorons.

❑

Je t'adore. J'en deviens fou.

Et plus je t'adore, plus tu es inaccessible. Plus il m'est difficile de t'imaginer dans ta réalité.

Chaque fois que je te revois, je te trouve plus étranger à la belle image que je me fais de toi, ton image de fou, de saint, de star. De prêtre aussi : je t'imagine parfois comme moi à vingt ans, mais ardent sous la soutane, formidable ostensoir dont on va retirer le funèbre voile qui le recouvre.

C'est de la folie pure.

J'appelle folie l'énonciation de l'impossible. Dire ce qui n'existe pas, ce qui ne peut exister, ce qui heurte le goût commun, ce qui enfreint les prescriptions de la décence, ce qui offusque la foi comme la raison, ce qui pourrait scandaliser un enfant, ce qui *de tout temps* est proscrit, prohibé, rejeté dans les ténèbres de l'indicible, de l'impensable, j'appelle cela la folie. Dans sa tête de fou, le fou pense, dit l'énorme chose à côté. La chose qu'on ne voit, ne comprend pas, et qui écrase.

Tu es fou. Je suis fou.

Allumons les bougies.

Voilà, tiens, une bougie. Pour l'incroyable limpidité du chant du rossignol. En voici une autre. Pour tout, pour rien, pour le chant du grillon dans la pierre chaude, quand la pierre bat comme un cœur de merle. Ne suis-je pas poète ?

Je sublime. Je suis fou.

VI

J'imagine.

Elle ne peut évidemment *le* recevoir à la maison. De son côté, pas question d'introduire chez lui une étrangère. La brave Honorine ne peut concevoir l'union libre. Son catholicisme n'a pas évolué depuis 1960. Elle reste une mère comme il faut.

Où donc consomment-ils l'acte de chair?

À l'autre bout du parc, près du canal, dans le quartier ouest, une sorte de minable hôtel accueille volontiers les couples en peine. Pour quelques dollars, on y trouve un lit et des draps à peu près propres. Quelques pénitents bavards m'en ont parlé en confession. Mon prédécesseur avait commis l'erreur de dénoncer en chaire cet établissement qui appartient, semble-t-il, à un cousin du député.

Les jeunes, surtout, sont attirés par les prix bien accessibles. Un essaim de mineurs bourdonne autour de la porte. La police est tolérante.

C'est là que, de temps à autre, Serge emmène Simone, que la réputation du lieu rend blême de honte et de peur, mais qui surmonte son dégoût, car elle ferait tout pour plaire à celui qu'elle aime. Serge! mon adoré! seule consolation de ma vie! Elle tremble à l'idée d'avoir pour elle cet être rare, qui la bouleverse; elle tremble à l'idée que la vie les séparera peut-être un jour, et que son bonheur sera brisé à jamais. Elle tremble contre son corps ferme et chaleureux, sous ses lèvres, son souffle, ses caresses *de miel et de coriandre,* etc.

Ce soir, après que Serge a assouvi deux fois en elle ses ardeurs amoureuses, elle se laisse aller doucement aux confidences, évoque l'atmosphère de la maison, devenue très lourde depuis les fêtes.

— Mon père n'a pas dessoûlé depuis Noël. Je me demande où il prend l'argent pour s'acheter toute cette boisson.

Serge accueille la confidence avec résignation. D'une part, il compatit jusqu'aux pleurs à la détresse matérielle et affective dans laquelle vit sa maîtresse, qui est pour lui plus qu'une maîtresse, presque une mère puisqu'elle lui a fait connaître les bouleversants émois de l'amour, la joie du corps à corps avec l'infini tangible, matériel. D'autre part, il s'inquiète des responsabilités qui peuvent lui échoir, par le fait de cet homme terrible, sans doute voleur, peut-être lié au trafic des stupéfiants, un gibier de potence avec qui la moindre accointance comporte quelque chose de déshonorant.

— Est-ce que, récemment... est-ce qu'il t'a...?

Elle le regarde, hésitant à comprendre ; puis elle répond, très vite :

— Oh! non. Ne t'en fais pas, je ne suis plus une enfant. Je suis capable de me défendre.

Voilà pour le mélodrame. Serge se doute très bien que, sous la poigne de ce monstre, malgré son courage et sa vigueur physique, la pauvre enfant ne peut pas grand-chose. Mais elle se refuse à des confidences qui pourraient accroître le malaise que ressent inévitablement son amant à l'idée de fréquenter une telle famille, et surtout, d'avoir pour rival éventuel... Ah! quelle horreur!

Insigne horreur! Cette brute, cette boue clouant d'infâme volupté une jeune fille, sa propre enfant, qui n'a jamais connu que des pensées douces et vertueuses — il y en a, comme ça ; mais surtout dans les romans! — et qui doit servir d'exutoire à la plus lâche lubricité!

Bien entendu, ce récit est d'autant plus conjectural qu'il ne s'entoure pas de précautions réalistes. Il me faudrait imaginer des protagonistes plus *évidents*, sans sombrer pour autant dans le style de reportage, qui ne consigne que les apparences. Car même les actions véritablement sublimes, racontées à fleur de gestes (plutôt que d'actes), ont des allures de parodies. Elles sont comme un gant oublié sur un meuble, flasque, douce immondice.

Je sais que Simone est une jeune fille bien, tout comme sa mère. Je sais que le père est une canaille, un homme violent et grossier. Je sais qu'il *peut* fort bien soumettre les membres de sa famille à des sévices, disons-le, abominables. Eh bien! pourquoi ne le ferait-il pas?

Et pourquoi me délecté-je de telles suppositions?

Car, vieux fou, vieux curé, prêtre indigne, je m'en délecte, et la raison n'en est que trop claire. Je ne tiens évidemment pas à ce que Serge s'attache à une jeune fille, connaisse le bonheur, éventuellement se marie, s'incruste dans un comportement aussi typé que celui de père de famille. Je suis évidemment jaloux de cette mauviette qui l'accueille dans ses bras, subit les tendres assauts de sa chair enflammée, reçoit l'hommage de sa virilité, meurt d'extase quand il lâche en elle sa bordée d'infini.

Je suis jaloux, mais que sais-je au juste des amours de Serge? Jamais il ne m'en a parlé. Seule sa mère, éminemment suspecte de mauvaise foi, m'en a dit quelques mots, gros et rouges comme elle, vagues et incriminants. On lui a rapporté que son fils fréquente en secret la fille de l'éboueur, voilà à quoi se résumait son emportement de paroles. Qui, on? J'ai, bien entendu, soupçonné mademoiselle Héloïse, qui m'avait tenu des propos semblables.

Au fait, pourquoi n'irais-je pas me promener du côté de chez les Courtois?

Il me faudrait un sacré culot!

❏

Je me relis.

Je pense à saint Jean de la Croix, mon mystique préféré. Pas une ligne n'est sortie de sa plume, qui ne soit à la gloire de Dieu.

Son livre est en deux couleurs, le noir et le blanc (un peu crème). Il sent le cuir et l'encre, et ses feuillets minces sont comme gonflés de signes. Je ne peux en lire une page sans tomber dans une pure rêverie, car le saint tourne toujours dans un petit cercle d'idées, et ses idées sont si loin de la vie qu'elles ne peuvent être longtemps tenues. Elles s'échappent et vous laissent à la dérive, honteux de ne pouvoir vous appliquer davantage. Penser à Dieu est impossible. Il est comme le soleil: on ne peut le fixer sans détruire en soi toute clarté.

Remplacer mes idées de Serge (mes idées vulgaires, mes idées de sale baise) par ces idées-là: Dieu, l'infini, la croix. Idées pures. Me faire aérien.

De toute façon, je ne baiserai jamais.

Quand donc penserai-je comme un curé? Je me relis: où est la spiritualité? Suis-je en tout point semblable à n'importe quel pécheur obsédé par son vice? La foi surabondante de mes jeunes années (malgré les vents noirs) n'a-t-elle laissé sur moi aucune marque? Suis-je un athée banal, semblable à celui qui n'a pas connu la grâce? Le mirage d'une chair inaccessible suffit-il donc à me rendre *profane*, incapable d'idées élevées?

J'aspire au moment où, à l'agonie, j'aurai à choisir entre les joies infectes du passé (en aurai-je seulement connu, ce qui s'appelle connaître!) et les félicités de l'au-delà. Mais celles-ci ne m'apparaîtront-elles pas comme la plus monstrueuse mystification, le leurre avec lequel on prétend disqualifier tout désir, rendre la vie si impossible qu'elle fasse aspirer à une éternité de délices? Et que seront-elles, ces délices, si le corps, le sexe n'y ont aucune part?

Au séminaire, j'ai appris de belles réponses en latin, à chacune de ces questions. La vie m'a fait perdre mon latin. Le concile aussi, qui a opté pour la foi vernaculaire. Je dois maintenant prier Dieu avec les mots de tout le monde, et je me retrouve aussi avec les imparables faiblesses, l'absence d'impunité de chacun. Je relève maintenant des tribunaux civils, et mes fautes ne sont plus sanctifiées par mon statut. Mon confrère Y. l'a bien appris, lui que la presse nationale traîne maintenant dans la boue en attendant que la justice, malgré les interventions en haut lieu, fasse de lui l'exemple attendu.

Autrefois, la faute d'un prêtre était un erre-
ment, Dieu seul avait le pouvoir de la sanction-
ner. Maintenant, on a chassé Dieu de l'affaire,
et les enfants violés deviennent de simples victimes d'abus sexuels. Ils étaient les agneaux d'un
sacrifice noir, ils deviennent de la chair à jouir.

Et moi, quand l'évêque *** a couché mes
douze ans sous sa crissante ivresse, quand il a
forcé mon corps en proférant à mes oreilles des
jurons incroyables, plus beaux qu'une prière,
quand il m'a voué à Dieu à coups de cris, de larmes, de caresses, n'ai-je pas été, ô honte! sanctifié?

Dans mon malheur, j'ai au moins la chance
d'aimer un adulte. Il me cassera la figure.

❑

Aujourd'hui, je prends la ferme résolution
d'en arriver à mes fins. Fini de rêver. Il me faut
séduire ou redevenir un vrai prêtre, mais je ne
tolère plus cette vie larvaire que je mène depuis
toujours, à l'abri de l'action. Je veux des résultats. Quitte à tout perdre. Perdre vaut mieux
que de caresser de vains mirages. Serge est un
être de chair et d'os, je me damnerais pour lui,
il me faut donc passer aux actes. Comment le
convaincre de m'aimer? Je suis un vieil homme,
physiquement sans attrait (est-il besoin de le
préciser!). J'ai un grand potentiel de tendresse,
mais cela suffit-il? Je suis malheureux comme

dix orphelins, est-ce une recommandation ? Je suis un père indigne, un faux soutien, un être maladroit dans la fourberie, une bévue de naissance ; je suis hors convenance, hors raison. Je bande de travers, comme un infirme. Je ferais rire, si je n'étais bipède, plantigrade, curé. Quand il me verra nu, que fera-t-il ? Pouffer ? Vomir ? Hurler ? Jouerons-nous, moi au loup, lui à l'agneau ?

Il me faut ce corps. Mon Dieu, faites qu'il soit à moi ! Faites que ma vie aboutisse à une joie.

Un plan de campagne.

Simplement, l'inviter pour samedi, ou un autre jour s'il n'est pas libre. L'emmener au restaurant ? Non, mieux vaut le presbytère. Pierrette fera un canard à l'orange, comme quand je reçois un confrère.

Prétexte : le remercier pour les services qu'il rend à la paroisse. Pas en peine — Pierrette est comme sourde et aveugle. Vieille, blanche, incapable de sourire, incapable de me juger. Servante, de la tête aux pieds.

Je l'emmènerai dans cette pièce, entre mes livres, mes reproductions. Dans l'ombre dort ce canapé.

❏

Ô joie ! Il accepte !

Demain il sera ici, agneau dans la maison du loup.

Je crois que je deviens vraiment fou ; ma vie change, devient réelle.

Il y aura de la semence, du sang sur mes mains. Du sang, du lait. Il y aura de grandes fièvres blanches.

Oh ! tout va rater !

Mais quelque chose, bon Dieu, se sera passé, même dans le ratage et la dérision.

Deuxième partie

I

Dans mes bras, ce corps
corps capital.
Ce n'est pas vrai ce n'est pas vrai
Je ne suis pas mort. Ô mon Dieu, tu existes !
Ma vie bouclée. Je suis né, je suis mère et fils.
Comment recueillir les débris, joie telle,
Je suis brisé. Les mots sont petits, vides. Rien n'égale ma...
La rayonnance.
Attendre si longtemps ! si longtemps ma vie un désert, une pluie qui n'en finit pas, un cataclysme tranquille. Et maintenant je suis *hors*. Les mondes se sont ouverts. Les étoiles sont données — les astres plutôt, les astres, avec des cornes, des saillies. Des salves, des salives, mon salut ! Je sauve, suis sauvé.

Et pénitence! Je ferai pénitence, ayant fauté! Et ma faute me met au monde, au jour, à Dieu. Dieu, tu me damneras, mais je suis celui qui t'aime le plus, du fond de ma vie qui commence. Gouffre béni! Je suis au creux et je commence. Ma défaite est en haut. Je suis plus bas que ma longue misère et je la vois par le fond, ombre immense cernée de rayons. Tu es par-delà, Dieu de Dieu, et je suis doux d'opprobre, je suis ton damné plein d'émoi.

Je t'aime! je t'aime!

Comme Moïse, j'ai touché le rocher de mon bâton et le rocher s'est ouvert et l'amour a jailli.

Pitié pour moi! pitié pour lui!

Ne le damnez pas, Seigneur, lui qui a eu pitié du vieil homme, a connu sa détresse, lui a redonné l'âme.

Car voici que j'aime! j'aime!

Avant, je vivais noir, privé du noble espoir. J'attendais ma sanction implacable, pour une faute que je n'avais pas même commise, mais qui bouchait le jour, me tenait dans son air obscur.

Je suis purifié.

Son corps dans mon corps, ah!...

Piston de la passion anale. Ma chair s'est souvenue. Ma vie s'est ressoudée à ma vie. Serge fut un rouge archange dans mon cul!

Si je meurs dans vingt ans, j'aurai vingt ans pour me souvenir de ce beau soir terrible, mettre des mots sur chacune des faces de l'événement. Vingt ans pour revivre et pour rendre grâce. Après cela, qu'est-ce que cinquante ans de détresse ? Je suis un homme heureux. Pendant plus d'un demi-siècle, je me suis cru misérable et j'étais heureux. Ma faute efface tout, la détresse, l'amertume, la colère, et même la perspective du péché. Ma faute réinvente mon rapport avec Dieu, puisque je L'aime. Je L'aime sans retour, pour ce qu'Il me donne de joie qui me damne. L'irrémissible.

Non ! C'est impossible ! L'impossible a eu lieu. Il y a eu du temps, il y a eu *de l'être* pour cela, j'ai connu en ma vie la seule chose qui justifie la vie, lui donne des proportions humaines. J'ai connu le sexe de cet enfant-dieu ; il m'absout de mon long désespoir, de ma tristesse si ravageuse qui, en cinquante ans, a fait de moi un homme vil et sans ressort, enfermé dans des rêves calamiteux. J'ai lié de baisers tout ce corps en serrant les dents sur ma joie muette, pour ne pas effrayer les hibous du miracle.

Quelle *chance* une chair jeune, forte, un appareil de muscles longs sous la peau qui frémit, tout un torse doucement bombé qui évoque l'harmonie d'un fabuleux violoncelle !

Je jouerai de lui à tout crin. Je cinglerai son cœur de bois. Il me couvrira d'écumes de bois et de bémols et de hanches parfaites.

Je l'ai eu sous les doigts, je l'ai eu plein les mains. Son sein droit, un moment, sous mon index. Son nombril sous mes deux lèvres nues.

Chair ivre morte.

Tout cela m'a cassé, béni. Je ne me relèverai plus. Je suis plus mort que tout.

Je voudrais parler de moi au féminin, me réincarner en jeune fille entièrement vouée à son bonheur. Je ferai cela pour lui. Je lui donnerai l'illusion que je suis *telle*, qu'il peut m'aimer en tout bien, tout honneur. Je me peindrai, pareille idole. Il viendra en moi jusqu'au sang.

❏

Comment a-t-il pu m'aimer? Cela s'est fait si *bien*! Je n'ai eu que quelques mots, un regard. Nous avons ignoré la frontière. Nous avons vu se déchaîner les vitesses. Nous sommes tombés à genoux dans l'amour. Lui, était un corps esclave. Il obéissait comme à une volonté étrangère, celle de mon instinct qui le courbait et le changeait. Il se modelait en ange, en terreur. Puis je me suis rendu compte que c'était tout le contraire, que j'étais depuis toujours son esclave et qu'il exerçait sur moi un empire absolu: celui que l'enfant exerce sur sa mère quand il lui rit du fond des yeux, comme un brusque soleil. Celui que le jeune maître au nez droit et mince, aux lèvres rectilignes, fait peser sur la fiancée effarouchée.

Je suis sa fiancée pleine de seins, de roseaux, de bécasses furtives entre les bottes de l'aurore.

❏

Trois jours. Trois fois le soleil s'est levé, puis couché, depuis le Soir-aurore. Je n'arrive pas à y croire, à comprendre. Je suis dans l'ombre d'un événement si grand qu'aucune distance ne pourra être mise entre lui et moi.

Et lui, comment vit-il, après cela?

Je l'ai revu dès le lendemain, à la grand-messe, et il était d'un parfait naturel, avec ses deux copains. Il m'a salué avec la même gentillesse, un peu distraite, que d'habitude.

Moi aussi, j'ai dû avoir l'air ordinaire, je ne fonctionne plus que par réflexe, comme un automate. Mes yeux brillent peut-être, car je vois clair dans la nuit de mon cœur.

Nous devons nous revoir vendredi.

Il m'a tant donné, du premier coup, que j'appréhende quelque déception. Comment répéter *ce qui inaugure*? Le sein de l'azur a tressailli. Mais le moindre toucher sur son corps sera la confirmation que l'Aurore a eu lieu. Je veux ne plus dépendre que de ce moment où la lumière a existé.

Jusqu'ici, je ne connais que sa beauté. Un peu de sa bonté aussi. Mais comment, comment son chemin a-t-il pu croiser le mien, déboucher en ma solitude? Comment un jeune homme si rayonnant de santé a-t-il pu se donner au vieillard malheureux? A-t-il déjà connu des expériences de cet ordre? Comment a-t-il pu, si facilement en somme, braver le tabou sexuel ?

Sain, sain, trois fois sain ! Je voudrais tant n'introduire rien de laid dans sa vie, rien qui l'expose aux moqueries ou aux réprobations, rien qui perturbe le bel équilibre de ses facultés. Je voudrais qu'il aime normalement, que son désir aille à la femme et y trouve sa satisfaction et son but, même si je suis rejeté hors de la sphère de ses plaisirs. Mais d'ici là, puisse ma vie s'abreuver à la sienne et y trouver le ferment du bonheur éternel !

Le désir introduit l'infini dans mon rapport avec les autres, fait d'un beau jeune homme une éclatante gloire nue, perçoit au-delà de ses vêtements — mince frontière fripée — le galbe parfait et divin où s'allumeront mes baisers comme des étoiles mouillées.

❏

J'en aurai pour mille ans à revivre cette fantastique scène. Les détails qui la composent sont un infini. C'est, par exemple, son maillot de corps qu'il relève pour le passer par-dessus sa tête, découvrant le ventre finement velu, d'un beau sombre cuivré dans la demi-pénombre. Le contraste du tissu blanc — rapide — et de la peau là, rémanente, comme une nuit liquide où rougeoient des aurores. Le nombril, bouton de rose noire. Mie de mort.

La *facilité* de tout cela. Comme s'il avait su. Comme si mes siècles d'amour malheureux lui étaient connus ; et lui, saintement, me détache de mon vieux corps, de mon désir en sang ; il vient droit au fantastique papillon qui est en moi, au monarque flamboyant, me délivre, m'aide à déplier quelles ailes ! quelles ! Je comprends, vrai, son amour : il voyait en moi l'hypostase de joie. Mon corps, à ses yeux, se *comprenait* dans l'autre corps, radieux. Mon corps de salut. Celui de ma félicité future — ou plutôt, hélas ! celui que je porterai à Satan, car je serai sûrement damné, n'ayant pu aimer en Dieu. Mais j'aurai vécu sur cette terre quelques moments de bonheur *impossible*.

Mon corps est comme le sien. Des sillons de lumière très douce naissent sous les doigts de l'autre, du fantastique autre. Nos âges se conjuguent : lui, pétulance chaude, s'offre aux baisers pieux, intimes ; puis, me retournant, il fait rage dans mes fondements, cherchant sans fin l'exténuation de son jouir.

Comment a-t-il acquis, si jeune, cette maîtrise, cette assurance ? Car il m'a possédé comme, je le suppose, les prostitués le font, avec une calme détermination.

Mais alors, je ne suis peut-être pas le premier homme dans sa vie ?

Un jour, je saurai. Mais je voudrais surtout découvrir son âme, la lumière de son âme. Je ne connais de lui que son visage droit, et un peu de son corps. Son chant aussi, comme une pluie de bronze dans le vaisseau sacré.

Quand il chante, malgré la niaiserie du lieu, de la messe, des fidèles ennuyés, des vitraux aux grandes platitudes pastel, de la lumière grise, morne, des lampions qui clignotent, malgré ce qui suinte partout d'inconciliable avec le jour, le jour en moi se fait, mon cœur se lève. Il s'élève vers ce qui reste de Dieu, par-delà le gâchis du monde.

Ce qui reste de Dieu. Quand je mourrai, je me coucherai sur l'image de mon amant et nous brûlerons ensemble à jamais.

❏

Je l'ai revu. Il m'a de nouveau aimé de tout son corps. J'en sanglote et je prie.

❏

Mon amant. Il est tout jeune, je suis vieux et je suis son enfant. Si la bête s'éveille, rugit, se porte à mon encontre, il me protégera. Il brisera des lances, se fera tout courage, tout courroux. Il vaincra la bête et j'embrasserai ses pieds rouges de boue et de sang.

Il est pareil à mon délire.

II

Le dimanche, à la messe de huit heures, je revois Héloïse. Quand je distribue la communion, elle détourne de moi son regard. Amer reproche.

Depuis plusieurs mois, elle ne m'a pas importuné. Elle en a pris son parti, ou elle attend l'occasion de revenir à la charge. Ce qui la confond, c'est le succès de la petite formation. Ils ont vraiment du talent, aussi — Serge surtout, Serge, Serge ! Mon Dieu, Serge !

Si elle savait !

Je suis fou de cet *être*, très superlativement être, il me transforme, jamais je n'ai senti en moi telle jeunesse. Il me faut faire attention ; Pierrette — si peu démonstrative — semble parfois songeuse devant la joie qui, malgré moi, de moi rayonne, presque tangible. Je suis traversé. Le bonheur me défonce.

Héloïse, je le sais maintenant, est bien capable de deviner. Mais que gagnerait-elle à me perdre aux yeux de la paroisse ? (S'il est vrai qu'elle a, pour moi, quelque sentiment tendre, comme je l'en ai parfois soupçonnée. Pauvre elle ! Aimer *moi* !)

La nuit passée, comme je faisais de l'insomnie, possédé de joie, fou de joie inapaisable, je me suis habillé et je suis monté jusqu'en haut du clocher, tout près des grosses masses de bronze dont l'obscurité m'empêchait de déchiffrer les inscriptions, vaguement perceptibles cependant. Je me serais cru hors de la Terre, sur une planète étrange où poussent des paysages de métal glacé. Moi qui ai toujours détesté l'espèce de monstrueux bulbe qui, d'en bas, découvre ses organes mobiles, j'ai trouvé, de près, quelque poésie à ce dispositif peu banal. J'aurais pu toucher une des cloches, l'ébranler du bout du pied — au risque de tomber et de m'écraser quinze mètres plus bas, prêtre fou, Frollo de gouttière !

J'aurais sonné toutes ces cloches, nu et fatal, j'aurais publié mon amour, dans l'orbe de ce monde et de l'autre.

Pourquoi cacher ce qui est beau, vrai, et qui de soi-même s'absout de la part d'ombre que lui font les conventions humaines ?

❏

L'homosexuel est comme un personnage de roman : totalement voué. Rien n'existe en dehors de son destin. Il rapporte tout à ce qui le distingue et, sans partage, s'accomplit en lui.

Peut-être est-ce aussi le cas du mystique, mais le mystique vit en Dieu, qui déborde tout destin, et sa passion n'est pas un carcan, mais une aurore. J'aimerais l'aurore. Mon dieu est de chair et d'os et je dois le cacher, presque jusqu'à moi-même.

Un dieu inavoué, parce que la vie ne cessera jamais pour moi d'être un tourment.

Vivre à la face du jour, vivre ma passion parce qu'elle est belle. Afficher mon amant parce qu'il est jeune et clair, que sa peau est *dimanche*.

Je suis homosexuel, et voudrais que tous mes fidèles le sachent jusqu'à l'usure, jusqu'à voir au travers de ce mot que je suis un homme aussi, capable comme eux de courage et d'amour.

L'homosexuel n'est pas un autre, mais celui que chacun porte en soi, et qui peut s'oublier jusqu'à vouloir la femme. Je pourrais, moi, aimer la femme. J'aime Serge parce que son désir est sain et qu'il va naturellement vers la femme. Et quand son désir passe par moi, il reste cette claire affaire d'émotion et de plaisir que serait une liaison dite normale.

Et moi aussi je suis normal. Je ne suis rien d'autre qu'un homme qui aime. S'il y a parti-cularité, singularité, c'est plutôt du côté de la prêtrise. Quand on a ce courage d'être un homme de Dieu en ce siècle, on peut bien avoir celui d'aimer qui l'on aime.

Serge, par la sainte jouissance dont il me lie, me réunit à Dieu.

Et moi à moi. Ne suis-je pas complet? Je suis le ciel et l'enfer. Je porte en moi Satan et la toute lumière, la vierge nommée Espérance. Satan l'immole à son plaisir, mais elle renaît, flamme têtue. Elle puise, dans le regard de ténèbres du prince, le courage de son éternel défi.

Dans les yeux de Serge, je vois la nuit qui roule jusqu'au bout de la Faute.

L'enfer existe, pour moi. Il faut que je paie ces quelques jours de bonheur, pourtant si chèrement gagnés, il faut qu'une éternité de supplices confère à mon plaisir sa dimension totale, comme l'ombre allonge infiniment la lumière.

❏

Il y a dix ans, jour pour jour, ma mère est morte. Elle avait soixante-douze ans. C'était une femme sans tendresse. Elle n'était pas dure, mais n'éprouvait aucun penchant pour les autres, pour la vie. Elle attendait depuis longtemps la mort, comme ce qui la délivrerait d'elle-même. Je crois qu'elle a peu aimé papa. Ses trois enfants ont représenté pour elle un fardeau de devoirs à porter, une croix à ajouter aux autres. La vie lui était à charge.

Si, là où elle est, mon indignité lui est connue, elle fatiguera les saints, fripera les étoiles. Maman, vois Serge, son sexe dur en moi, ses mains sur ma détresse, vois cette beauté fleurir en moi et me rendre à moi-même, me faire tendre et beau, jeune et violent. Maman, vois-moi bander, jouir, souiller de vie vive ma respectable défroque. J'étincelle. Maman, je bouge en toi, tu es mon sarcophage. Longtemps tu m'as mangé, contenu dans ton magasin de cierges bénits et de fèces. J'étais en toi comme en pénitence, attendant le jour. Le jour est venu, il a fendu de haut en bas ma fantastique détresse. J'étais privé. Serge m'a tendu son sein, il m'a abreuvé de lait brûlant. J'ai communié avec sa chair liquide, bu à la source de son cœur. Il m'est salive et sang, pluie de peau. Quand je regarde dans son œil, je tombe au fond de moi, me déplie dans la lumière. Il me contient tout entier, comme une mère, un utérus. Il me détient.

Je suis prisonnier de son jeune pouvoir. Son charme me fusille à bout portant. Je mourrais pour un peu de lumière sur ses dents, entre ses lèvres entrouvertes par le plaisir. Je mourrais. La vue de son jean plein de lui, moulé, plissé, maculé, chaud de lui, me tue. Sa beauté m'exaspère. Et qu'il soit à moi !...

Mon amant. Vois-tu cela, vieille morte ? Me vois-tu devenir fou de ma joie ? J'exulte ! J'expire, comme de surabondante grâce. Mon agonie est une fête, je rends mon âme mêlée de plaisir, la remets entre tes mains lustrées de l'eau des sacrifices.

III

Il y a un mois maintenant que cela existe. Cela est dans ma vie et ma vie continue. Le ciel ne s'est pas effondré. Je ne suis pas mort de bonheur. Je m'accoutume doucement à respirer, comme si de rien n'était. La stupeur est matée.

Au pensionnat où il a poursuivi ses études après la mort de son père, Serge a connu un prêtre qui l'a initié à la vie sexuelle. Cela s'est fait très délicatement, sans secousse traumatisante. (Peut-on passer d'une scène à l'autre — l'ob-scène — insensiblement, sans ébranler tout l'infini ?) Affranchi de son enfance par des mains doucereuses et fermes, au surplus consacrées, il accueillit sans remords le plaisir, et ne s'inquiéta pas même de son orientation affective. Le moment venu, il reporterait sur la femme le désir qui bouillonnait en lui et que les caresses viriles ne faisaient qu'exercer. Du reste, dans la vaste maison de garçons, le moment de son accession aux privilèges adultes lui paraissait lointain, et il valait mieux s'accommoder des ressources disponibles. Il eut, avec des camarades, de discrètes et saines liaisons.

Je compare cette liberté de mœurs avec l'éducation sévère que je reçus. Obsédé dès l'enfance par la beauté masculine, jamais je n'ai cru possible de braver les tabous et d'assouvir mes convoitises. Il faut dire que, n'étant pas beau, je n'inspirais pas ces passions qui abolissent les frontières et qui, dans le cas de Serge, ont joué un rôle déterminant. C'était moi qui désirais, et qui éduquais mon regard à ne rien laisser paraître du feu qui me brûlait. Les garçons beaux, bien découplés, m'apparaissaient comme des justiciers en puissance, fin prêts à châtier ma monstrueuse affection. J'étais chétif. Entre leurs pattes de jeunes lions, j'étais la souris prête à fuir. La solitude était ma sauvegarde.

J'ai interrogé Serge sur ses amitiés féminines, sans faire état des vagues renseignements dont je disposais. Il m'a parlé de Simone Courtois et confié la pitié que lui inspire toute cette famille soumise à la tyrannie d'un homme demi-fou, dont la déchéance va s'aggravant. L'alcool est le principal auteur de la misère où ils croupissent.

A-t-il couché avec Simone? Je n'ai pas osé le lui demander, mais qu'est-ce que ça changerait? Je ne suis tout de même pas l'incarnation de son éternel féminin ! Je suis un intermède dans sa vie, et sa bonté entre pour beaucoup dans notre « liaison ».

Les *bontés* qu'il a pour moi.

❑

Rendu visite à Y., à la prison municipale où il attend la tenue de son procès. Cet homme est complètement démoli. Il parlait avec difficulté, tenait des propos peu cohérents. Il répétait souvent : « Je suis damné... damné... » et je pensais à moi qui ai remâché si souvent les mêmes mots. Et ces mots, sur ses lèvres marécageuses, me semblaient ignobles et faux, ignobles parce que faux. J'ai failli lui crier que l'enfer est une fable pour demeurés de son espèce, bonne tout juste à éloigner les hommes de la vie, à discréditer le plaisir qui est la vraie loi de la nature. Le plaisir est une grâce, il rend semblable à Dieu, quand il coïncide exactement avec l'amour.

Mais lui, amateur de fillettes, doit rechercher la pure sensation. Aucun échange n'est possible, sur les plans intellectuel ou affectif, avec une enfant terrorisée. C'est la terreur inspirée, sans doute, qui détermine le plaisir. C'est l'incongru d'un corps forçant une chair en larmes, suffoquée de douleur. .

Je lui ai tenu des propos apaisants, l'ai enjoint de s'en remettre à la mansuétude de Dieu, qui surpasse infiniment la justice des hommes. De cette épreuve, lui ai-je dit, il sortira grandi, pourvu qu'il s'oublie en Celui qui a créé le ciel et la terre, et qui seul peut soumettre le mal. Mes paroles, à la longue, l'ont réconforté et un peu d'espoir a réchauffé sa nuit. Au moment des adieux, il a fondu en larmes et il m'a dit, me tutoyant pour la première fois : « Tu crois vraiment que Dieu existe ? » Je ne sais s'il voulait me soutirer une certitude ou, au contraire, m'instiller son doute. Il eût été bien étonné, si tel est le cas, de lire en mon âme.

Je vis, moi aussi, dans le crime. Certes, Serge est majeur, j'échappe à la justice de ce pays, mais mon histoire est scandaleuse, mon passé, mon présent, mon désir, mon cœur sont scandaleux. Je vis une histoire parfaitement blâmable. Je vis un grand péché, mais surtout une grande faute sociale. Jamais l'humanité n'a permis ce que je fais. Et mon plus grand sujet d'étonnement, c'est que Serge, naturellement, m'accorde ce qui est l'objet d'une réprobation perpétuelle et universelle malgré les nombreuses dérogations à cette loi de l'*honneur* et du sang.

Même dans l'Antiquité, aux périodes de décadence, quand les mœurs étaient relâchées, que l'homosexualité s'affichait sur les places publiques, un interdit continuait de peser. Le rire s'attachait aux amours entre gens du même sexe, comme une malédiction. Il n'a jamais été normal de faire l'amour avec son semblable. Ce ne le sera jamais, en aucun pays, à aucune époque. Même si la fonction reproductrice, qui a permis la vaste expansion humaine, perd quelque chose de sa nécessité, même si les dangers de la surpopulation favorisent une sexualité de pure dépense et de plaisir, l'être humain ne peut rester fidèle à sa nature qu'en cultivant le noble amour, celui qui destine l'homme à la femme, la femme à l'homme.

Aimer Serge est un crime. Je vis dans ce crime. J'aime *dans* ce crime, et c'est Dieu qui m'a fait tel. Des milliards d'hommes aiment la femme ; pourquoi moi, moi, ne puis-je partager ce grand bonheur ? Pourquoi n'ai-je pu me marier, connaître les joies tranquilles de la vie conjugale ? Pourquoi ne suis-je pas un de ces hommes à femmes, qui volent de l'une à l'autre en semant le malheur derrière eux, malheureux eux-mêmes, mais foncièrement virils, habités de cette grâce, sauvés ? Pourquoi ne suis-je pas un élu de la Santé majoritaire, du grand lieu commun physiologique ? Serge, mon beau Serge, pourquoi tes joues sont-elles piquées de poils ; ton torse, couvert de bouclettes sombres ; tes jambes, velues et fuselées ; ton sexe, éclatant de démence ? Je te rêve lisse de peau, opulent de poitrine, les cheveux te faisant comme une couche molle jusqu'aux reins, et je rêve ton sexe comme une plaie de chair et d'ombre, où blottir mon chagrin solitaire.

Le grand malheur de l'homosexuel, ce n'est pas de ne pas être aimé (je le suis), c'est de ne pas être comme les autres. C'est d'être taré, sans raison, sans espoir de connaître jamais le sort commun. C'est d'être, comme le mongolien, le paraplégique, le manchot, condamné à vivre en marge, honni des hommes et de Dieu.

Maudit Dieu !

Tiens, voilà une facilité rhétorique à rayer de mon vocabulaire : Dieu. Quand il existera, je l'appellerai par son nom.

Pour l'instant, il y a Serge. Qu'il me suffise ! Qu'il me prenne ! Qu'il m'attache à lui si étroitement que j'en oublie mes pauvres devoirs, mes pitoyables responsabilités, que je flambe tout entier de notre passion !

L'obscène. L'obscène. J'en deviens nul et fou. Il y a quelques semaines, je vivais le grand séisme, la révolution de mon existence. Maintenant, rien, dans ma situation objective, n'a changé, mais je suis à genoux. Je ploie. Le bonheur me foudroie.

Le bonheur. Une cuisse nue, un sexe véhément, le paysage du ventre plat, blanc et noir, le poil rageur. Il faudrait me tuer là, agoniser de baisers, jusqu'au bout. Mourir entre ses mains d'eau fraîche.

Il a un si tendrement beau visage, et les éclairs dansent si doucement dans ses yeux, que j'ai mal. Mais surtout : pourquoi ? Pourquoi veut-il me rendre heureux ? Devine-t-il seulement le bien qu'il me fait ? Et le mal ? Sait-il qu'il est tout pour moi, et jouit-il de régner sur mon âme ?

Voit-il en moi la beauté d'une passion qui cruci-
fie, qui déplace le ciel et la terre ? Aime-t-il en
moi le père humble, reconnaissant, qui donne-
rait sa vie avec joie pour lui, simplement pour le
remercier d'exister ?

Tout mon amour, hélas ! tient de l'ordure. Je
le sais, l'ayant respiré sur les lèvres, sur la peau,
sur la beauté de l'être interdit. Depuis l'aube
des temps, la lumière sociale me condamne.
Comme Phèdre, je ne suis pas digne du jour. Et
je ne l'ai jamais été. Et j'ai menti, je mens
chaque seconde de ma vie, je suis imposture.
Mon bonheur lui-même, avec Serge, est un
mensonge. Il va flamber comme la paille. Je me
retrouverai nu avec des effilochures de cendre,
une poignée de néant gris. Baisé, comme on
dit. Baisé.

Maudit moi !

❏

Petit incident, ce matin, après la grand-
messe. Eugène, le servant de messe, me regardait d'un drôle d'air. C'est un garnement blond,
aux cheveux en bataille, à la grande bouche
gouailleuse. Assez jolie frimousse. Un des fils
Courtois. Il n'a pas du tout l'attitude réservée de
Simone, et encore moins cette espèce de palpable charité que le catholicisme, parfois, déve-
loppe chez certains êtres d'exception comme
elle. Simone est la copie conforme de sa mère,

une sainte femme s'il en est. Une femme du peuple, peu instruite, mais qui a le respect inné des belles choses. Eugène, hélas! marche plutôt sur les traces de son père, une franche crapule. Il est bizarre qu'une même famille réunisse ainsi des êtres tout à fait *rares*, dans le bien comme dans le mal.

Eugène s'attardait ostensiblement devant sa case, où il laisse ses vêtements d'extérieur. J'ai pensé qu'il avait quelque chose à me dire. Effectivement, la bouche tordue par les sous-entendus, il m'a finalement apostrophé:

— Hé! monsieur le curé, c'est vrai que Serge va entrer en religion?

— Qu'est-ce que tu racontes?

— Bien oui. Ma sœur, qui sort avec, se plaint qu'il la délaisse. Il paraît qu'il est tout le temps rendu chez vous.

Abasourdi par la calme brutalité de ces paroles, au lieu de répondre par une blague qui aurait tout désamorcé, j'ai bredouillé quelques mots sans suite et je suis parti. Il m'a semblé qu'il riait tout bas derrière moi, se réjouissait de ma déroute. Diable! quelle espèce de morne calvaire commence pour moi? Il me faudra ruser constamment, être sur mes gardes, donner le change, démêler les allusions, encaisser les sarcasmes en feignant de ne pas les entendre. Constamment.

Comment ce diablotin, qui me semble assez vicieux pour en connaître long sur le plaisir masculin (attention, monsieur le confesseur : pas de projection !), comment a-t-il appris ce qu'il sait ?

Et quoi au juste ? Que sait-il ?

Peut-être rien. Dire que Serge est « tout le temps rendu chez moi » est une erreur : nous nous voyons un soir par semaine, généralement le vendredi, entre sept heures et dix heures. « Tout le temps » est une exagération qui appelle la rectification, qui est destinée à me faire parler. C'est de la bonne rhétorique cancanière.

Ce qui est horrible, c'est de devoir lutter contre ça. Victoire aucunement garantie, et si victoire il y a, elle suppose un avilissement pire que ce qu'on combat. Pire.

La honte. La honte vient, énorme rouleau compresseur. Je vois son cylindre parfait. Sa hauteur, avalée par la largeur, renaît constamment, comme le tapis sans défaut de la rivière.

Faire des phrases. Belle occupation, en attendant.

J'attends.

La rivière. Il y avait des mouvements, comme de grandes plaques d'eau qui se distinguaient au milieu du courant. Elles avançaient sans se défaire, reflétant le ciel avec plus de stabilité. C'était l'eau de grâce.

❏

La bête s'est déchaînée.

C'est Honorine Lemire qui m'en a parlé la première. Elle est informée instantanément de tout ce qui perturbe le petit train-train communautaire. C'est un sixième sens. Elle absorbe tout, puis raconte à sa manière, avec des effets de tragédie.

Samedi, Ernest Courtois était à la maison. Honorine prétend que, quel que soit le jour de la semaine, il traînasse au lit toute la matinée. Les enfants étaient sortis jouer, pour permettre à Simone de mettre un peu d'ordre dans la maison. Je ne sais pourquoi, les maisons de pauvres sont toujours plus encombrées que les autres. Des monceaux de vêtements dont les gens à l'aise se sont défaits et qui ne manquent pas d'élégance, mais forment des ensembles des plus disparates, s'élevaient dans plusieurs coins de la pièce principale. Du temps où je faisais encore la visite annuelle de mes paroissiens, j'ai vu au moins trois fois cet intérieur, invariablement en désordre. Madame Courtois, paradoxalement, jouit d'une excellente réputation comme femme de ménage. Honorine, d'ailleurs, l'emploie une demi-journée par semaine, pour les gros travaux.

Les chambres, je suppose, sont encore plus encombrées que la pièce principale. Qui m'a raconté qu'on y trouvait des contenants vides de toutes sortes, petits poudings, limonades bon marché, tout ce qui fait le bonheur d'un enfant miséreux et livré aux caprices de sa propre discipline ? Vivre dans l'indigence, dans l'abondance des déchets que la vie laisse derrière elle...

Du reste, Courtois est un ancien éboueur. Il travaillait à la purgation des rues, comme Démérise travaillait, travaille toujours à celle des intérieurs bourgeois. Une fois rentrés à la maison, ils ne ressentent plus le besoin de se remettre encore au service de la propreté. Démérise, en tout cas, est trop fourbue, et d'autres tâches la mobilisent.

Faute d'espace pour ranger, et craignant l'intervention de son père que tout projet de ménage met en colère, Simone se contentait donc ce jour-là de laver et de repasser les pièces de linge les plus sales. C'est ce que Simone a elle-même raconté à sa mère qui, adroitement cuisinée, a tout redit à Honorine. Je soupçonne cette dernière d'avoir ajouté du sien. Son goût des feuilletons transparaît dans le luxe de détails dont elle surcharge ses narrations.

Vers onze heures, Simone était seule avec son père à la maison. Démérise était allée faire le marché, accompagnée de l'aîné des garçons. C'est alors que Courtois s'est levé, a demandé à boire, s'est emporté devant les caisses de bouteilles vides. Depuis quelque temps, les excès d'alcool aidant, il filait un très mauvais coton, grommelait tout bas des menaces contre le genre humain. Cette fois, il était vraiment dans un paroxysme de fureur. Il s'en prit à sa fille, verbalement d'abord, lui reprochant de ne pas comprendre son vieux père, d'être la honte de la famille car, c'était bien connu, elle couchait avec des garçons, etc. Puis, exaspéré des larmes par lesquelles elle répondait à ses grossières accusations, il se jeta sur elle et commença à la bousculer. Mais elle comprit bientôt que ses intentions étaient plus précises ; horrifiée, elle trouva la force de le repousser et s'élança hors de chez elle, vêtue de sa seule mince robe de coton, par un temps glacial. Heureusement, elle connaît bien une de ses voisines qui l'estime beaucoup et qui l'emploie parfois comme gardienne. C'est là qu'elle trouva refuge, en attendant le retour de sa mère.

Ne sachant contre qui tourner sa rage, pris d'un véritable accès de folie, Courtois se mit, avec une masse, à défoncer les murs, à fracasser les lavabos et la baignoire, à arracher la tuyauterie et les fils électriques, à mettre tout dans un état de dévastation si terrible que la maison, déjà délabrée, semble maintenant à jamais perdue. À la fin, comme il fracassait les vitres, le voisin immédiat eut vent de quelque chose et alerta la police. Une auto-patrouille s'amena avec la discrétion habituelle : sirène plein régime et tous feux pivotant. Quand Démérise arriva, les bras chargés de sacs de victuailles, son fils sur les talons, un attroupement considérable s'était formé, et un policier faisait monter Courtois dans sa voiture.

La misère, c'est la misère. Elle existe depuis que le premier homme des cavernes, au lieu d'aller chasser, se mit à barbouiller ses murs... (Je ferais un bon historien.)

Demain après-midi, je ressusciterai, pour la famille éprouvée, la traditionnelle « visite du curé ».

Pourvu qu'on n'ait pas encore relâché Courtois ! Rien, hélas ! dans la loi, n'interdit à un homme de démolir sa maison.

J'ai à peine vu Serge, dimanche, et il était atterré. À ce moment-là, je ne savais rien.

Sa mère est venue me voir hier, pour tout me raconter et m'enjoindre de profiter de cette occasion pour user de mon influence sur lui. La pauvre, elle croit Serge éperdument amoureux de Simone et redoute plus que tout au monde une telle mésalliance. Quelle tête ferait-elle, au-dessus de son opulente poitrine, si je l'éclairais sur les véritables incartades de son fils ?

Il me semble de plus en plus que, à la source des ragots qui associent Serge et Simone puis, plus récemment, qui associent nos deux noms, à Serge et à moi, il y a une âme noire, bien discrète, elle, et patiente, une mante on ne peut plus religieuse, qui attend de dévorer son Abélard.

❑

Visite bien pénible. Une maison à l'envers — on croit vraiment marcher sur les plafonds! De grands plastiques tenaient lieu de vitres. Une sorte de poêle, fourni par un voisin, faisait de la chaleur. Neuf enfants dans tout cela, une mère pas encore revenue de son accablement malgré son courage colossal, statue hors de son axe. Serge et quelques jeunes ont entrepris de rafistoler ce qu'ils peuvent, de refaire électricité et plomberie, de réparer ou reconstruire les murs. Ils ont offert leurs services gratuitement, bien sûr, et la fabrique, qui possède un fonds de secours pour nécessiteux, réunie d'urgence, a accepté de payer les matériaux. J'ai ajouté une somme, sur mes fonds personnels, pour faciliter la transition jusqu'au retour à la vie normale. Je crois que Serge a apprécié...

Démérise m'a confié, tout bas et rouge de confusion, que son mari avait accepté un séjour dans une clinique de désintoxication, en retour de quoi aucune charge ne serait retenue contre lui. Dans ces grands yeux qui ne peuvent plus pleurer, j'ai entrevu le bête espoir que cette crapule revienne à une vie normale, rentre dans le rang. Elle l'aime, ma foi! Après vingt ans d'un mariage infernal, elle ne trouve en elle aucune ressource pour haïr. Elle est de la farine dont on fait les martyres bien grillées.

Pendant ma visite, qui fut courte, je dus bénir la mère et ses enfants. Le regard d'Eugène, au moment de cette brève cérémonie, me frappa particulièrement. Il soutenait le mien, sans aucune arrogance; dans ses yeux de loup luisait plutôt quelque chose comme une horrible confiance. J'aurais cru qu'il s'offrait.

❑

C'est fini.

Il aime, et pour de bon.

Loin de creuser entre les deux jeunes gens ce fossé que la misère ou l'infortune ouvre si volontiers, même entre des âmes d'élite, les événements ont rapproché, réuni, soudé Serge et Simone.

Hier, il m'a longuement dit adieu. Hier, nous avons ensemble écouté le silence de notre chair. Pas un geste n'a rappelé nos fureurs de plaisir. Nous étions comme de parfaits amis.

Commence maintenant le temps du souvenir.

Troisième partie

I

Soyez béni, mon Dieu, qui m'avez fait capable d'amour. Et qui avez permis le don réciproque, le marché de chair, d'âme, de poils, de salive, d'honneur.

J'ai porté sur mon ventre un plein corps d'homme ; ce corps a pesé sur moi de sa vie toute nue.

Soyez béni, mon Dieu, et soyez pardonné. Vous avez fait de moi un monstre et vous avez façonné un bloc de lumière aux dimensions de mon désir. De mon amour. Le désir est amour, quand il traverse la chair vers le gouffre d'âme, gouffre total et sans vertige. Dans son âme, je me tenais comme si le Nord était à tout moment devant moi, en face, comme si le Nord était *la* Face. Et c'était vous, mon Dieu, en face.

Vous m'aimiez, moi, l'objet de votre malédiction. Vous m'aimiez, moi, damné.

Je suis bien sûr de ne jamais connaître les félicités célestes, sinon pourquoi Dieu m'a-t-il équipé pour le mal?

Aimer un homme : abjection, incandescence. Dans le feu de la passion, il n'y a qu'innocence.

Innocence. J'ai aimé un enfant, il m'a souri. Ses yeux m'ont chaviré, incendié.

Me refaire, maintenant. Après Serge, après Dieu.

❏

C'est déjà un peu le printemps. Il y a des flaques, un peu partout. La bonne boue. Le ciel y colle, avec des reflets de branches où gonflent les bourgeons.

Serge m'a prévenu qu'il devait abandonner ses activités musicales à l'église. Il me regardait avec un peu de gêne. Le passé doit lui faire honte : j'ai baisé, de mes lèvres, son âme nue.

Il file le parfait amour. Je l'imagine, dans la décence et le secret, sa chair mêlée à celle de sa bien-aimée. Ils sont beaux, pertinents. Ils font descendre le vrai ciel sur la terre.

Elle est, sous lui, l'infini, complément.

Elle est l'exacte et pure chaleur. Elle bouge autour de son axe, le contraint à l'extrême plaisir. Il jouit en elle, d'elle ; s'exténue en elle, par elle.

Connaître cela. Anode cherche cathode — pour synode ! (Décidément, je n'oublie pas le saint évêque de mes fesses.)

Oui, j'aimerais connaître la femme. Il me semble que, après avoir enfin contenté mon grand désir, je puis me tourner vers un non moins grand besoin. L'ennui, c'est que le besoin est objectif et ne possède nullement l'intensité vécue du désir, qui est subjectif. On peut avoir faim et rester sans appétit. « Je meurs de soif au bord de la fontaine. »

Où es-tu, fontaine qui étanchera ma soif?

Réponds-tu au doux nom, au captieux nom d'Héloïse?

Pouah! Fontaine, je ne boirai jamais de ton eau.

❏

Ces vers, assez équivoques, de Voltaire au roi de Prusse:

J'aime César entre les bras
De la maîtresse qui lui cède;
Je ris et ne me fâche pas
De le voir, jeune et plein d'appas,
Dessus et dessous Nicomède.

Nicomède: nom féminin? Ou alors: position morale, et non physique? Je préfère imaginer le pire.

❏

Il me faut bien composer avec *elle*. Serge parti, la petite bande est en déroute. Personne, dans la formation, ne peut le remplacer. Donc : Héloïse.

Je l'ai fait venir. Elle a dit : non.

Son orgueil, je suppose. Et sa vengeance. Me voilà bien pris ! Mais j'ai confiance. Dans le fond, j'en suis sûr, elle meurt d'envie de reprendre du service.

Je reconnais avoir mal agi avec elle. Depuis deux ans, je la traite comme une servante, la réserve pour les dépannages. Toutes les faveurs sont allées à Serge. Elle a le droit de me haïr. Elle me hait, cependant je sens, derrière sa haine, quelque chose de hideux et de très doux.

Comment la décider à reprendre ses fonctions ? Je laisserai peut-être agir la pression populaire. Samedi et dimanche, pas de musique. Ce sera comme un enterrement. On verra si elle résistera à l'incitation. L'église a horreur du vide.

❑

Formidable ! Il n'y a pas d'autre mot. Ma foi, me voilà tout enthousiaste. C'est un sentiment que je n'ai pas éprouvé depuis longtemps, dans l'exercice de mes fonctions !

L'office a commencé, sans musicien. Petite stupeur des fidèles, que désarçonne la moindre dérogation au cérémonial habituel. Or, après environ un quart d'heure, voilà que mademoiselle Héloïse fait son entrée, s'avance vers le petit orgue, s'installe, se lance dans une étonnante improvisation où passent les thèmes des principaux cantiques de «la petite bande», une sorte de cantate rock aux profondeurs de toccata, liée d'un seul grand souffle. Quand elle s'arrête, chose inouïe, des applaudissements fusent de toute part! Personne n'en revient. Demain, la grand-messe promet d'être un événement.

J'ai félicité chaleureusement Héloïse, après la messe, et me suis assuré qu'elle reprenait pour de bon du service. Elle m'a répondu froidement, mais affirmativement. Son petit triomphe devait faire pousser des fleurs instantanées, dans les plates-bandes de son amour-propre. Je le voyais dans ses yeux sombres, qui s'appliquaient en vain à l'impassibilité. Impassible, mademoiselle Héloïse? Une furie, une bacchante sous sa cagoule d'amiante.

Beaucoup d'insomnie, cette nuit. J'avais espéré, sottement — les vrais espoirs sont toujours sots —, accepter tranquillement dans ma chair le départ de mon amant. Il me semblait que les quelques semaines de passion que nous avons vécues suffiraient amplement à me prémunir, jusqu'à la fin de mes jours, contre toute tentation. Dieu m'a fait la grâce de vivre un bonheur que, jusque-là, j'avais perçu comme impossible, et qui a fondu sur moi comme une pentecôte. J'ai connu la joie de l'amour partagé, du clair regard me fécondant de sa lumière, de la chair enveloppant ma chair de sa jeune et virile tendresse. Mais aucune satisfaction, si grande, si essentielle soit-elle, n'est éternelle. Je dois le reconnaître : l'absence de Serge est une torture, injuste et cruelle, et je crains pour l'avenir. Son visage a brillé dans la nuit comme le cœur brûlant des choses ; s'il s'était éteint, j'aurais glissé dans les ténèbres éternelles.

❑

Cette petite peste d'Eugène. Que me veut-il au juste ? J'ai vraiment l'impression qu'il s'offre à moi — dans quel but ?

Il a quatorze ou quinze ans. Ce serait du joli !

Il respire le mal comme une gaieté. Je n'ai jamais connu enfant plus naturellement et plus profondément vicieux. S'il est si assidu aux offices, c'est que l'infini l'excite, comme une vague et troublante affaire de grandes personnes.

À vrai dire, c'est sa mère qui le pousse à l'église — comme Honorine le faisait avec Serge. (Il n'y a guère de garçons ou de filles qui viennent d'eux-mêmes à la messe, surtout passé douze ou treize ans.) Mais c'est la sale âme du père qui s'épanouit dans son corps plein de sang, fait pour tous les mauvais coups.

Ce serait vraiment déchoir, de remplacer Serge par ce dangereux enfant, capable de tout. Gare aux tribunaux ! Ou au chantage. Et puis, pourquoi me perdre avec quelqu'un que je n'aime pas ?

Ça doit être ça, le vrai Mal : se perdre pour rien.

L'aiguillon. L'aiguillon de la chair. Cette face d'enfant mal nourri, ce corps pétulant. J'imagine, malgré moi, les gestes atroces.

Quand on est, comme moi, moins que rien, moins que la boue, moins que le forficule, on devrait avoir le courage *élémentaire* de se faire justice, de se précipiter *de soi* dans l'opprobre éternel. J'entrerai en enfer avec des idées fixes de verges dressées, mon visage sera décoré d'appendices obscènes comme une tête de dindon. Voyez MOI, enfant de lumière tourné à l'ordure, au gâchis. Voyez ma vie. Usurpation complète. J'ai béni des unions, des naissances, des morts, j'ai adressé des âmes au paradis, fait descendre la paix dans des cœurs ruinés par la misère, la souffrance, l'aigreur ; j'ai affirmé le bien et dénoncé le mal, ignoré le pouvoir de triomphe du mal, partout enseigné Jésus, le Christ, notre Seigneur, comme la Voie entre notre indignité et Dieu, comme le recours permanent, comme le secours qui ne manque pas. Et j'y croyais, j'y crois encore. Mais je n'y crois pas, je n'y ai jamais cru. Je suis double. Il y a deux hommes en moi — et pas un seul *vrai*, pas un capable d'aller avec la femme, de faire besogne d'honnête fornicateur. J'ai deux hommes en moi, un qui y croit, qui va chercher tout près de Dieu ses idées de damnation personnelle, et l'autre qui pense que tout est

symbole, retombée historique, et que Dieu sub-
siste par simple commodité, comme une incon-
nue à ne jamais serrer de trop près, sous peine de
devoir refaire à zéro le pacte du langage. Et de
tout. On ne peut se passer de Dieu, même pour
le nier. Si on le pouvait, si on décidait de le faire, il
faudrait changer le sens de tous les mots simples :
père, mère, maison, lumière. Il faudrait apprivoi-
ser le néant, l'injecter dans nos vies, en faire une
disposition permanente de réflexion et d'action.
Lourde tâche. Comment s'y prendre ? Il vaut
mieux ne pas penser, se laisser couler bas dans
ses instincts, battre le briquet des vices. Eugène...

Le mot *père*. Si Dieu n'existe pas, si la Terre
est un infime grain de poussière dans l'immen-
sité des néants, mon père est un jeune homme
qui a joui dans le ventre de ma mère et qui l'a
infecté de vie. Cette vie a bourgeonné, gonflé,
bouffi et j'ai quitté le sac devenu trop petit, le
cul-de-sac des origines. J'ai respiré au grand
jour. La pensée m'est venue, très lentement,
d'abord comme une erreur, un effondrement de
certitudes intimes concernant des aises immé-
diates, appétit, coliques, mictions. Tout ce
temps, mon père est à distance, je l'entrevois
par-dessus l'épaule de ma mère, par-dessus son
sein placide, vaste et mou. Je l'aperçois toujours
vêtu, sérieux, acharné à vieillir. Il me manquera
à jamais de l'avoir vu, étendu sur ma mère et,
dans les soubresauts, lui refilant d'un coup sa
jeunesse, son amour et sa postérité. Elle a tout

reçu sans un cri, appliquée à souffrir. Elle a souffert de moi, de lui, de la vie avec une constance édifiante. Mais lui, lui, dans sa cervelle de notaire, a-t-il roulé des pensées comme les miennes, a-t-il nourri des fantasmes défendus? Un notaire vit-il seulement de parchemins? N'a-t-il pas au moins désiré quelque jolie cliente, une voisine, une fillette? Devant un frais visage de jeune homme, n'a-t-il pas imaginé le bonheur de l'épousée?

Mes obsessions, toujours. Elles m'empêchent de poser les vraies questions. La vraie question: qu'est-ce qu'un père? Si Dieu n'est pas, si l'ordre des choses est privé de cette antique clé de voûte, si la maison des hommes bée vers l'espace à jamais indifférent, qu'est-ce que cette rare impertinence, cette parodie de légitimité qu'on appelle un père? — Qu'est-ce que la question, avec sa réponse comme un os en travers de la gorge, qui étrangle?

Un père. J'avais vingt ans quand le mien est mort. Il savait, j'en suis persuadé, à quoi s'en tenir au sujet de son fils trop pieux, trop délicat et fourbe comme on respire. Fourbe à l'image du saint personnage qui m'avait violé et qui, je ne sais pourquoi, je ne sais comment, me hantait comme un exemple. Mon vrai père, c'était lui, monseigneur à lunettes, c'était lui me couvrant de bave et de semence, pendant que les galaxies, les trous noirs ne dérogeaient d'un iota à leur routine mégamillénaire.

Le viol (je l'avais presque oublié, jusqu'à ces derniers temps) m'a laissé peu de souvenirs concrets. Je me souviens seulement de l'honneur et de l'effroi que j'ai ressentis quand l'évêque a penché sur moi sa face souriante à lunettes, et de ma neutralité complète quand il a commencé à me tapoter, tripoter, comme s'il caressait, hors de moi, un chien ou une fleur. Il y avait ce grand sourire exagéré, ces mots qui moussaient au bord des lèvres, cette main qui s'affolait et cherchait à dénouer ma ceinture. Je n'avais nulle conscience d'être victime, comme on dit aujourd'hui, d'un attentat ; il me semblait plutôt que, accomplis par un homme d'Église, un représentant de Dieu, sur moi qui étais pur et vertueux, ces actes échappaient aux appréciations communes. Il maniait mon sexe avec des doigts purs et, loin d'être physiquement ému, je me sentais sanctifié dans ma chair et prémuni contre ces absurdes érections que ma récente puberté avait commencé de déterminer à tout moment. Quand il me pénétra, j'eus quelques moments de très grande douleur, que je réussis à offrir à Dieu comme un gage de sagesse future ; du reste, j'ignorais tout des pratiques sexuelles, et celle-là me parut ni plus ni moins naturelle qu'une autre. Mais la nature était mauvaise, et ce saint évêque, si doux, si attaché à moi, s'affairait à la conjurer dans tous les coins. Heureusement, il fut vite satisfait et se retira, avant de m'avoir estropié. Ensuite, je

crois qu'il me demanda pardon, ce qui me sur-
prit fort, et m'enjoignit de me taire à jamais sur
ce qui venait de se passer, faute de quoi les
flammes de l'enfer seraient le châtiment éternel
de mon indiscrétion. Tandis qu'il me disait cela,
son œil, derrière ses verres à fine monture de
métal gris, s'arrondissait, sans doute de frayeur
et de brutalité mêlées. Après m'avoir fait pro-
mettre le silence, et cajolé un peu (une envie de
pleurer s'était emparée de moi, sans que je sache à quoi l'attribuer), il m'a embrassé sur la
joue, comme un père, et m'a donné congé.
Dehors, les lilas étaient en fleurs.

Tout cela, je l'ai sans doute déformé, trans-
formé. Le réel a toujours moins d'épaisseur que
le rêve.

À quarante ans d'intervalle, je mesure jusqu'à quel point on a abusé de mon innocence.
Très longtemps, cet épisode est resté pour moi
une succession de gestes sans signification, bai-
gnant dans une maladroite tendresse, comme le
voulait sans doute l'évêque. L'homme qui viole
n'est pas le bourreau qu'il est, il est de beurre et
de détresse, une grâce noire le guide jusqu'au
fond de l'horreur. Un jour, sa victime se reprend
et fait de lui le malfaiteur qu'il est au-dehors,
qu'il est pour les autres — et que la victime,
prise dans la glu des gestes, ne peut identifier
que dans le malaise et la mauvaise foi.

Je suis, à mon tour, le bourreau de Serge
puisque je l'ai pris au piège de mon affection et

de mon désir. Je lui ai montré ma détresse et il m'a béni.

Il n'y a pas de bourreau, pas de victime. Il y a, sous les étoiles, un ballet d'insectes sans raison.

❏

Depuis qu'elle a repris sa place, mademoiselle Héloïse s'est affirmée comme une excellente musicienne, beaucoup plus imaginative qu'on ne l'aurait cru. Elle a toujours son allure de vieille fille, sa raideur de porcelaine — elle est cassante, dans tous les sens du mot ! — mais il y a quelque chose de plus libre dans son jeu, une audace, une fraîcheur. Des sentiments passent dans ses improvisations, souvent inspirées. Je n'ai pas remarqué de baisse d'assistance à la messe, et beaucoup d'échos favorables me sont parvenus. Héloïse reçoit mes compliments avec une sainte indifférence.

Elle a bien quarante ans, ou presque. À part le maigre bénéfice qu'elle retire de ses prestations comme organiste (il lui a peut-être cruellement manqué au cours des derniers mois), elle vit du modeste héritage que lui a laissé sa mère, décédée il y a quelques années. Elle donne aussi des leçons de piano, à des prix ridicules. C'est comme une charité qu'elle exerce autour d'elle, auprès des démunis que les circonstances ont tout de même dotés d'un instrument, souvent antédiluvien. Je crois que la musique, pour cette solitaire, est un mode unique de rencontre avec autrui. Sans elle, elle se momifierait dans le cocon d'une seule sombre pensée.

Recevoir des enfants, les asseoir bien droits au piano, la main souple et en cuiller, voir à l'égalité des sons, du rythme, à la coordination, au juste déchiffrement des notes, stimuler l'ardeur au travail, montrer comment travailler un trait, rendre le mouvement d'une phrase, raffiner l'interprétation, ces tâches conviennent fort bien à une douce entêtée de son espèce. Je me souviens de mes années de piano, de la religieuse un peu folle qui, malgré ma paresse, réussit à m'inculquer quelque savoir-faire, assez pour déchiffrer avec plaisir des partitions de difficulté moyenne. Héloïse, dont le dévouement est illimité, doit obtenir d'appréciables succès avec ses élèves.

Tiens! je devrais prendre d'elle quelques leçons, histoire de me remettre un peu de Bach sous les doigts. Il y a bien deux ans que je n'ai pas rouvert mon vieux Heintzmann...

Quelle idée! Après l'affront que je lui ai fait, lui proposer ça? Elle m'enverra valser emmi les fleurs.

Ma vie est bien vide.

Longtemps, ma pensée s'est élancée vers Dieu, à défaut de se tourner vers le monde que ma timidité, surtout l'irréductible sentiment de ma différence m'ont fait fuir. J'ai nourri mes

sermons de mes méditations sur l'ineffable mystère de la Trinité, sur l'incroyable don de la
grâce, qui établit un lien direct entre l'homme et
Dieu, sur la prière, seule propre à assurer la
communion entre les saints — plutôt que
d'accommoder l'idée de Dieu aux conjonctures
paroissiales, aux tribulations sociales. Du reste,
en ce quartier ouvrier de Valences, ceux qui
m'ont nommé à mon poste, et qui connaissaient
mes tendances mystiques, ne me demandaient
pas autre chose. Les conflits de travail sont plus
brutaux chez nous qu'ailleurs, et l'Église serait
mal venue d'y mettre son grain de sel. La place
des prêtres ouvriers n'est pas dans les grands ou
moyens centres urbains, mais dans les colonies à
moitié désertées. Là, un peu de publicité aidant,
ils sauvent l'honneur de l'Église tout en ne ris-
quant pas de lui attirer des ennuis.

Mes fidèles sont habitués à mes spéculations
spirituelles. Ils me croient sincèrement pieux,
peu attaché aux biens de ce monde : non sans
raison. Je vis modestement, ne dépense que
pour des livres et des disques, en prenant soin
de les bien choisir. Pas d'excès de table, ni de
coûteux voyages en Floride. Un confrère m'a
déjà chapitré, presque sérieusement, sur ma fru-
galité. Orgueil d'anachorète, disait-il, alléguant
saint Antoine. J'ignore s'il avait lu Flaubert.

Je n'ai pas cessé de méditer sur Dieu ; mais
à la longue, l'idée que je me fais de lui s'est
transformée. J'ai heureusement cessé de croire

à ces fables enfantines dont on a toujours assorti la problématique religieuse ; fables qui restent un intermédiaire indispensable entre le peuple et Dieu, qui constituent précisément le croyant en tant que tel, mais qui ne résistent pas à l'examen de qui veut approfondir sa foi. Cet enfer où l'on brûle sans brûler pour l'éternité ; où l'on est châtié dans les organes qui ont été l'instrument de son péché ; où une seule faute, dite « mortelle », peut nous précipiter, comment semblable conception a-t-elle pu, pendant des siècles, inspirer de la terreur aux hommes ? Comment ai-je pu, enfant, croire à de telles fantasmagories ? Et je n'étais pas le seul : des hommes, des femmes supérieurement intelligents ont ajouté foi à ces sornettes.

L'enfer me fait bien rire. Pourtant, je me crois damné, je suis damné ; mon avenir, passé la mort, est un paroxysme fulgurant de souffrance et d'horreur, d'abjection noire.

Si j'avais un peu de courage, je choisirais entre :

1) le suicide
2) défroquer.

Je ne défroquerai pas : ma place est ici, dans ce seul lieu où la pensée de Dieu reste possible. Ailleurs, les divertissements me feraient oublier les raisons mêmes de ma souffrance. Je vivrais des passions inutiles, même pour moi. Des passions qui ne me grandiraient pas *à l'encontre des hommes.*

Et puis, à cinquante ans, on ne change pas de métier. Dire la messe, confesser des moribonds, entretenir quelques personnes âgées dans l'espoir du paradis, voilà des tâches à ma mesure. Je lis tous les jours mon bréviaire, mais j'ai un missel des missions, colonialiste au possible, publié chez Mame, à Tours. Sa seule vue ranime en moi la piété la plus régressive. Il est petit et relié d'un cuir si doux, aux tons si chauds, qu'il fait rêver de quelque massacre ingénu dans la brousse. Des losanges d'un vert profond s'incrustent dans cette peau, lui confèrent un peu l'allure d'un évangéliaire médiéval. Le papier est épais, des illustrations d'un candide mauvais goût visent l'édification indigène. Eh bien, ce livre fait beaucoup pour me garder dans le rang. Il me fait comprendre que la religion peut s'imposer justement par ce qui l'éloigne de toute pertinence ou de tout à-propos, fait d'elle l'alliée du mythe et du toc. Le faux n'est pas le mensonge. Le faux est à côté de la vérité, et non en elle, planté comme un poignard. La religion est anachronique, par nature, et la plus grande erreur des Églises est de la frotter aux soucis quotidiens.

Cette nuit, pensant à Serge, à lui en moi, à sa chaleur, à son évidence de corps, de poils, d'odeur, à ses gestes précis, à l'avenir et au présent de son absence, j'ai pleuré comme un fou.

Dans mes bras, sous mes baisers, chair à chair — au temps de mon bonheur —, il riait à vives dents. La pierre et le lait de ses dents.

Si je n'avais pas vécu ces quelques semaines de passion avec Serge, je croirais encore que l'amour est un leurre, que les humains en parlent et l'écrivent sans le vivre vraiment, que les liaisons appartiennent au domaine de la fiction. Deux êtres, corps, âme, pensée, entrent dans l'intimité l'un de l'autre, fusionnent leurs champs de conscience, ajustent leurs surfaces et se communiquent leur en-deçà essentiel. Deux êtres mettent en commun leur matière chaude et bonne, que le sang anime et colore de l'intérieur, ils font un pacte de leur peau et de leurs os, de leur viande, de leur souffle. Leurs baisers sont des échanges de joie, ma joie à toi dans ta joie à moi, des rayons s'échappent de leurs reliefs, les galbes prennent feu. Les fronts, collés, s'ouvrent à la lumière de l'autre, devenu moi. Je me sens dans la peau et les os de l'autre, je vis son aurore intrépide. Serge, je suis toi, ton sexe flamboyant, tu me cloues à moi, à ma joie. Serge, tu me Serges à moi.

II

Eh bien ! finies ces histoires avec un garçon. Comment ai-je pu ? Il fallait que la solitude ait diablement perverti mon élan vital. Moi, pédale ? Quel malentendu !

Depuis cette nuit, en tout cas, je suis homme, selon les glorieuses prescriptions de la statistique et de la morale. Je suis homme, enfin ! et Héloïse s'est épanouie en simple femme, ou en triple, ou en décuple. Elle a déposé à mes pieds sa virginité et nous avons dansé dessus un sabbat à ébranler les neuf cercles d'Enfer.

Quelle débauche ! Il m'aura fallu attendre plus d'un demi-siècle avant de goûter les félicités pleinement et justement humaines qu'on appelle l'amour, l'amour, et voilà que ma vie s'ouvre coup sur coup à deux aurores, dont la dernière n'est pas la moins surprenante, car me voici, de bout en bout, aimanté dans le sens de l'accomplissement physiologique dont mon corps, depuis l'aube des temps, portait en lui l'exigence. Homme, christ! Homme, ostie de calvaire! J'ai *planté*, j'ai *botté*, j'ai mis mon saint petit brandon dans son mignon manchon, j'ai fait les gestes éternels, entrer, sortir, entrer, sortir, *fort*, *da*, depuis Adam, depuis Abélard, j'ai enfoncé, retiré, cela se faisait tout seul, décollage-atterrissage automatique, je suis en toi, je n'y suis plus, m'y revoilà, voici ma chair, voici mon sang, et tu es sous moi comme un pré sous l'orage, un petit pré fleuri sous les rocheux nuages, de tout mon ventre de ciel noir je pèse sur ta chair de fleur, tes pétales fripés, j'enfonce en toi ma fureur de plaisir, ma plaie de zizi qui délire.

Héloïse! Je ne t'aime pas, certes, mais c'est bien pire! Tu fais de moi un curé à maîtresse, une variété particulièrement prestigieuse de l'étalon humain, quelle promotion! Je te dois bien plus qu'à ce jeune insignifiant qui m'a accordé ses fumeuses faveurs. Tu me dédouanes, chérie, auprès de la majorité. Je puis désormais aller aux hommes et dire: je suis de Dieu, mais je suis aux femmes, voyez ma queue! Je puis aller à Dieu: voici mes ailes! Ailes et queue, j'ai soudain tout pour plaire. Je vais gagner sur tous les tableaux. Longtemps, je me suis cru damné et voilà que je gagne, je gagne. Je suis excellent.

Toi aussi tu gagnes, altière maîtresse. Depuis quand me vouais-tu ton amour de vestale? De

combien d'avanies, de menus outrages, d'épi-
neuses déceptions as-tu nourri la flamme entêtée ? De combien de fois mon poids, depuis près
de seize ans que nous nous défions, as-tu géré
les fétides rancœurs, les espoirs malheureux, la
boue des vengeances escomptées ? Car tu m'as
haï, autant que désiré. Du reste, pourquoi désire-
t-on un vieux curé ? Je pue la croix, pourquoi me
renifler ? Que flaires-tu en moi de délectable ? Le
salut ? À moins que ce ne soit ce petit fumet
d'enfer qui s'insinue doucement dans les narines,
aigrelet, ambigu, et qui soudain fait vomir ? Je
serai ta damnation, belle reine. Je te damnerai
par où tu as péché. Je t'embrocherai de mon
amour chauffé à blanc, et tous tes souvenirs de
félicité terrestre viendront s'y consumer, un à un,
avec des cris de cendre fraîche. Belle ! belle ! Car
je sens naître en moi beaucoup d'émotion et de
ferveur pour ton corps si bien conservé, à l'ombre
des piétés glacées. J'aime tes seins encore neufs,
leur grâce timide et pourtant pleine, leur suspens
de voyelles rondes, immatérielles. Mes mains
palpent leur comble soyeux et éprouvent le goût
de parcourir toutes les directions du corps, les
nords, les suds, les choses d'est et d'ouest, de
s'égarer dans la touffe crépue de la rose des
vents, d'y succomber muettes, ravies, obscènes
mouches empâtées de pollen.

Le plus drôle, c'est que, plutôt qu'elle, il s'en
est fallu de peu que ce ne soit Eugène ! Le petit
salopard !

Il me fallait un corps. On ne goûte pas impunément aux délices de la fornication. Il faut un suivi. Je serais allé repêcher Serge, mais il n'en est vraiment plus question. Son moi privé m'est fermé. Fini. Nous nous sommes dit adieu de trop parfaite façon : aucun retour en arrière n'est possible. Il veut vivre, aimer et chanter. Il s'est converti à Simone. Elle est sa vérité et sa vie. Il m'a souhaité de connaître «de plus vrais bonheurs» — ceux, m'a-t-il dit, que seule la femme peut donner à un homme. Je ne lui ai pas ri au visage, je ne l'ai pas insulté. J'ai accepté sa pitié traîtresse, sa mauvaise foi. Ce qui l'amoindrit dans mon estime est aussi quelque chose de lui, je l'ai pris et choyé comme un cadeau. Son dernier.

Il me fallait un corps. La grâce polissonne d'Eugène s'imposait, malgré et peut-être à cause des risques que l'âge et le milieu lui associent. Elle s'imposait surtout à cause de l'empressement — l'ai-je rêvé ? — avec lequel il se désignait à moi. Chaque semaine, d'ailleurs, embellit cet adolescent qui a maintenant dépassé le moment où se combattent les charmes de l'enfant d'hier et de l'homme à venir.

Non, je n'ai sûrement pas imaginé les intentions perverses du gamin. D'ailleurs, il est du genre à se prostituer — il paraît que le parc est un haut lieu de débauche, avec un secteur réservé pour les garçons. Les revenus tirés de la prostitution servent immédiatement à l'achat de drogue. Nous ne sommes encore qu'en avril et les bonnes âmes déjà s'indignent, à juste titre d'ailleurs, de ces trafics où se flétrit une partie de la jeunesse locale.

C'est toujours devant son casier, où il s'attarde à de fictifs rangements, qu'Eugène surveille mon passage. Cette fois, il portait une chemisette trop ample, à manches courtes, sous laquelle il grelottait.

— Hé! fis-je, tu devrais t'habiller davantage. L'été est encore loin.

— Bah! je n'ai pas froid.

— Mais tu as la chair de poule.

Il rit et me montra son bras, où on pouvait discerner de nombreuses marques de piqûres.

— C'est de la chair de coq, monsieur le curé. Ça résiste à tout.

— Qu'est-ce que c'est que ces piqûres?

— Ma chatte a des puces, monsieur le curé. Je pense qu'il y en a dans mon matelas.

— Tu devrais soigner ça. Sinon, gare aux infections.

Il prit alors ma main gauche, pour la rapprocher de son bras meurtri et m'obliger à un examen plus attentif. Il y avait tant de naturel dans son geste, et sa main sur la mienne avait tant de douceur, que je m'abandonnai instantanément à cette volonté. Nous étions, dans la lumière des vitraux, un groupe incongru et coupable, sur lequel planait un horrible destin. Sans m'en rendre compte tout de suite, je m'étais mis à haleter, et il fixait sur moi son œil trouble et doré, un œil de chat qui a harpé sa proie.

Heureusement, Héloïse pénétra à ce moment dans la sacristie et rompit l'enchantement.

— Excusez-moi de vous déranger, fit-elle de sa voix sèche.

— Vous ne nous dérangez pas du tout, fis-je. J'examinais le bras de notre jeune ami. Tenez, dites-nous ce que vous en pensez.

Eugène, visiblement contrarié, voulut se soustraire à l'examen de la vieille fille. Mais, avec des mines d'infirmière, elle s'était emparée de son membre et laissa échapper une exclamation de pitié. Je remarquai, avec surprise, que les larmes lui étaient montées aux yeux.

— Pauvre enfant! Il faut faire attention!...

Eugène se dégagea assez brusquement et prit son blouson, en grommelant de vagues salutations.

— Il se pique, me dit-elle.

Ignorant de ces choses, je compris ma naïveté. Je compris surtout que l'enfant m'avait fait la confidence de ses extases misérables.

Nous bavardâmes alors un peu sur les dangers qui guettent la jeunesse, en particulier celle des milieux défavorisés, depuis que le sens moral s'est estompé au profit d'une quête effrénée de sensations nouvelles et de confort matériel. Le vrai matérialisme, me dit-elle dans une envolée, s'épanouit en Occident, et non dans les pays de l'Est où une discipline régit les rapports entre les personnes. Elle avait lu sur le sujet, s'émerveillait de l'existence, là-bas, d'un idéal communautaire. Notre société, disait-elle, s'épuise dans la recherche de la satisfaction immédiate.

Pendant qu'elle parlait, je m'étonnais de l'agilité d'esprit qu'elle manifestait. Moi-même, bien que rompu à la rhétorique des sermons, j'aurais eu de la difficulté à manier ces lieux communs en leur donnant, comme elle le faisait, une touche personnelle. Depuis qu'elle avait repris, avec tant de brio, ses activités musicales à l'église, elle se dévoilait à moi sous un jour neuf, tout en conservant sa façade revêche. Quelque chose de frais et d'ardent à la fois, qui évoquait pour moi un éclat de ruisseau au soleil, une palpitation d'eau dans de la braise, couvait sous les apparences. Ses improvisations à l'orgue étaient généralement fort ingénieuses et d'une belle générosité harmonique. Elle jouait comme quelqu'un qui n'a plus rien à perdre et qui puise à des ressources inattendues, jusque-là ignorées de lui-même. Elle avait aussi une opinion sur le monde, sur l'évolution des mœurs et des réalités sociales.

Je me demandais cependant la raison de son intrusion dans la sacristie, où elle ne mettait jamais les pieds. Elle finit par me dire qu'elle avait une nouvelle importante à me communiquer : une paroisse voisine lui faisait des offres très sérieuses touchant la direction de la chorale et l'emploi d'organiste, et elle était très tentée d'accepter. Elle me disait cela de son ton le plus neutre, avec à peine une petite flamme ambiguë au fond des prunelles.

Quand elle eut fini de parler, je fus long-temps avant de répondre, à tel point qu'elle se mit à se tortiller de malaise. Elle était là, à deux pas de moi, et je compris soudain tout ce qu'il y avait en elle qui, depuis si longtemps, s'adressait en vain à moi, à mon attention, à ma bonté, à mon désir même. Cette femme désirait mon désir, il y avait en elle des appels qui me concer-naient, qui mouraient en ma direction parce que j'étais perdu dans les coins noirs de ma damna-tion solitaire. Je sentais des ressacs de larmes, de gémissements tourbillonnant au pied de ma superbe, et soudain, moi qui suis tout de pierre, je m'ouvrais à l'eau déchirée, je me laissais envahir d'écumes brailleuses, d'un chagrin plus vaste que ma vie.

Je lui pris alors les mains et, mes yeux dans ses yeux pâlis, je m'excusai simplement, pour tout.

Elle fut submergée par sa longue détresse qui remontait en elle, de très loin, de toute son existence abominable et rangée, des privations, de l'espoir enchaîné. Elle se trouvait sans un mot devant moi, mais la bouche entrouverte qui tremblait, et ses yeux chavirés, et son visage soudain très beau et pâle, blanc à mourir.

Je l'ai prise alors dans mes bras, pour cacher sa peine, pour la mettre au port, la désarmer, pour me laisser être enfin humain avec elle, si terriblement pure et douce.

Et elle a fondu, elle est devenue très légère contre moi, comme une ombre qui pend à la falaise, qui fait une seule trace de nuit luisante dans le jour. Elle est devenue ma nuit et mon abri, ensemble nous échappons à l'horreur du monde sans amour.

Je ne sais pas si je l'aime, parce que je ne sais rien de moi, mais il me semble qu'un peu de réalité, un peu de beauté et de bonté s'allume entre les ronces.

❏

Quand j'aimais Serge, mon désir était indissociable des sentiments que je lui portais. Mon affection s'attachait à la ligne de ses sourcils, à l'aile de son nez, au découpage de ses lèvres, à tous les détails de son corps, sources d'émotions qui étaient aussi bien matérielles que morales.

Avec Héloïse, il en va autrement. Souvent, je pense à elle avec pitié, car je me représente tout ce qu'elle a souffert, dans sa vie sans tendresse, et souffert par moi puisque, depuis de nombreuses années, je fus l'objet plus ou moins conscient auquel s'accrochaient ses élans amoureux. Je voudrais la consoler comme une petite fille éperdue de sanglots ; c'est le chant de source des larmes que j'entends au fond de ses paroles timides.

Mais si ma pitié est exempte d'éléments étrangers, l'attirance sexuelle l'est aussi. Quand nous nous retrouvons dans un coin perdu de la salle paroissiale, sur le vieux canapé confortable, elle est pour moi comme une prostituée, uniquement vouée à ma jouissance, et c'est la mécanique érotique très précise de l'étreinte entre homme et femme qui stimule mes ardeurs. Moi qui me croyais si imperméable à ces sortilèges, je me découvre de délicieuses curiosités pour tous les aspects de la beauté féminine. Pour un peu, j'oublierais mon long passé de déviant, ou je l'attribuerais à des causes purement accidentelles. Ce serait magnifique, *n'être pas* un monstre, un infirme, l'objet virtuel du rire et de la haine, mais être tout simplement, c'est-à-dire n'être rien, être tout, être un hétérosexuel anonyme, un sexuel, être normal comme un imbécile. C'est cette belle, confortable illusion que tu m'apportes, bien chère Héloïse, quand je me laisse prendre par le flot des caresses, des baisers, et que je redeviens, entre tes bras, un Tarzan de vingt-cinq ans, aux simiesques performances.

Je ne puis tout de même me cacher que, dans tes bras, couché sur toi, plongé en toi, je suis parfois assailli par la pensée d'un visage sournois, visage d'enfant mêlé de beauté virile, où le rire a des harmoniques d'ombre infiniment troubles et douloureuses.

❏

Eugène ne vient plus à l'église. Depuis la fois où il m'a montré son bras, il n'a pas repris sa fonction de servant de messe, qu'il remplissait avec une assiduité passable. Tant mieux pour moi. J'aurais pu être tenté. À côtoyer le gouffre, on finit par mépriser le sol ferme.

III

On m'a remis, ce matin, une lettre du curé Y., décédé avant-hier. Peu de temps après sa condamnation, encore récente, un cancer s'est déclaré et sa progression a été foudroyante. Il arrive, ainsi, que les corps désertés de l'âme se laissent emporter par la première rafale venue.

Sa lettre est désolante, bien entendu. Je la transcris (sans les fautes).

Cher ami,

Quand tu liras ces mots (permets que je te tutoie), j'aurai quitté cette terre où j'ai beaucoup souffert.

Hélas! J'ai sans doute causé plus de souffrance encore que je n'en ai éprouvé. Je suis cet homme dont parle l'Évangile, qui a scandalisé un enfant: qu'une meule lui soit attachée au cou et qu'il soit précipité dans la mer !

Tu ne comprendras jamais cette force qui me rivait à l'objet de mon désir. Une petite fille, pour moi, était l'absolu même, appelé par tout mon corps. L'absolu, comprends-tu ? L'absolu, c'est Dieu, mais concret, vivant, palpable. C'est l'infini, mais qu'on étreint.

Il n'y a pas de mal, quand on est seul à seul avec ce qui nous émeut. Le mal commence quand ça se met à pleurer, à saigner, et qu'on se retire d'une chair meurtrie. Je HAIS, comprends-tu ? je hais à mort les enfants qui pleurent, je hais surtout leurs visages pleins de morve et de larmes. Ce sont les violées, les victimes, les martyres. Leurs cheveux se prennent dans leurs faces liquides.

Excuse-moi de t'écrire ces abominations, mais je me meurs. J'aimerais que quelqu'un, après mon départ, sache un peu ce que j'ai vécu, et pas seulement ce que j'ai fait. Je meurs de mes actes infâmes, mais je reste sous Dieu, sous sa lumière, et Dieu est capable d'humanité. Sois-le, toi aussi, parce que je te devine, comme moi, dévoré d'infini.

Je prie pour nous.

Y.

Dévoré d'infini, comme lui. L'infini, c'est le mal, la perversion, l'obsession de tout ce qu'il y

a de vil. Il y a si longtemps qu'une pensée généreuse ne m'a pas habité! C'est que j'ai totalement cessé de sublimer mes pulsions, dirait
Freud. Je suis sollicité à temps plein par mon
désir. Je désire, à mains nues. Je vais de corps
en corps. Après Serge, Héloïse. Puis ce sera
qui? ou quoi? Une cloche, peut-être!

Je ne puis penser à mon clocher sans fris-
son. (Me hante, surtout, le creux bien *sec* et
grenu où s'accroche le battant.)

Depuis trois mois, monsieur le curé couche
avec son organiste. La chasteté (ne pas con-
fondre avec l'absence d'activité sexuelle) est
hors de saison. Voici l'été, ses parfums, ses lan-
gueurs. Je suis dans l'été de ma vie, après un
interminable printemps. Je suis si bourré de
péché que la grâce ne m'atteint plus. Dieu, la
Vierge, les saints sont des contes du passé. Du
passé, il ne me reste que le grand vaisseau à
moitié vide, le lourd ramas de cloches en suspens, et mes bénédictions machinales sur les
bonheurs en 18 carats ou les tombes haut de
gamme: ... *et Spiritus sancti, amen.*

Je devrais partir, tout laisser là, aller me pendre (vraiment me pendre) ailleurs.

Vraiment, je ne crois plus à moi, à rien de
ce qui fut moi. C'est énorme, de continuer, ça
prend tout mon cœur.

❑

Je n'ai plus rien à écrire. Je vis, c'est fou. Je vis les yeux fermés, je

❏

Seigneur, je ne suis pas digne. Mais dis seulement un mot et je serai guéri. Je serai guéri. Je serai guéri.

Les cieux si grands !...

....

....

P.-S. : Après dix ans, je rouvre ce cahier.

J'y vois un tout petit homme, aux prises avec son désir. Son désir est laid, dévoyé. Il aurait mieux valu qu'il n'y en eût pas. Il aurait mieux valu que cet homme ne fût pas né, n'eût pas vécu. La Terre est une ordure, et la plupart des êtres qui soufflent et peinent à sa surface ajoutent à l'ordure, parfois sans le savoir, mais le plus souvent en toute lucidité. L'homme engagé dans le mal devrait mettre fin à ses jours, pendant qu'il est sous le coup de l'horreur qu'il s'inspire à lui-même. Il ne faut pas attendre, car la raison, à laquelle on s'en remet si volontiers, aime l'ordure. La raison fait la vie et la vie fait l'ordure.

Dix ans ! Je revois Serge mort, son beau corps mutilé par le poignard d'Ernest Courtois devenu fou et, paraît-il, furieux de jalousie. On m'a appelé auprès de lui, mon amour, qui respirait encore. Quand il m'a vu à son chevet, il a détourné les yeux et n'a pas desserré les dents. Il m'en voulait d'avoir été celui par qui l'ignoble est entré dans sa vie d'adulte. Il est toujours ignoble d'aimer hors des voies permises. Le désir est souvent ignoble car il foule aux pieds les bienséances. Les bienséances !

Héloïse a été bonne pour moi. Elle m'a offert son aide pour quitter la vie religieuse, m'a fait miroiter les avantages d'une vie conjugale dans quelque ville éloignée, où je trouverais bien un emploi d'enseignant ou de col blanc. C'est à ce moment qu'est survenue la mort de Serge. Après mon internement, elle est venue me rendre visite assidûment, pendant quatre ans. Puis ses visites se sont espacées, et j'ai fini par me rendre compte que la maladie la rongeait. Un cancer, bien entendu. À la fin, elle était un petit fagot d'os tout blancs, elle était devenue *tout intérieure*, comme une pauvre âme où se survit la lumière.

Je suis maintenant dans un hospice, au double titre de malade et d'aumônier. Je ne suis pas un fou bien pénible. Il m'arrive seulement d'avoir des crises de blasphème ou, encore, des propos très libidineux et, paraît-il, fort pervers. On me met alors au secret et, la crise passée, je peux reprendre mes fonctions d'aumônier.

Un aumônier est un homme qui croit en Dieu et qui n'aime que Lui.

1990

Table

Première partie 11

Deuxième partie 83

Troisième partie 115

Cet ouvrage
composé en Souvenir corps 12 sur 14
a été achevé d'imprimer
en août mil neuf cent quatre-vingt-quatorze
chez